쾌락이
질병이
되는
순간

쾌락이 질병이 되는 순간

전형진 지음

책을 내며

통제할 수 없는 상황을 경계하라

"딱 한 번만 더하고 정말 그만두는 거야."

"이번이 진짜 마지막이야. 나중에 또 그러면 내가 성을 간다."

좋지 않은 일을 하는 사람들이 실행에 앞서 하는 말은 대략 이와 비슷하다. 자기도 안다. 이래서는 안 된다는 것을. 그래서 이런 말이라도 해서 위안을 삼으려는 것이다. 양심과 상식에 어긋나는 일을 하고 있지만, 마지막이니까 눈 딱 감고 아량을 베풀어야 한다는 바람이다.

그러나 대부분 그것은 마지막이 아니다. 유혹을 이기지 못해 혹은 짜릿함을 추구해서 한 번만, 또 한 번만 하다 보면 점점 더 깊은 수렁으로 빠져들어 결국은 헤어나지 못하는 지경에 이르고 만다. 도저히 자신의 힘으로 이 상황에서 벗어나지 못할 때 누군가의 도움이 절실해진다.

중독이란 그런 것이다. 처음에는 단순한 호기심으로, 특정 행위가 불러일으키는 달콤함이 생각보다 괜찮아서, 혹은 누군가의 권유로 무심코 경험하지만, 그 경험이 자신을 지배하게 되면 스스로 그 속으로 걸어 들어가게 된다. 짜릿함과 달콤함의 기억은 정말 강렬하고, 쾌락의 블랙홀은 깊고도 깊다.

의학에서는 마약, 술, 도박과 같은 한눈에 봐도 일상생활에 커다란 지장을 초래하는 영역이나 독극물처럼 건강에 치명적 영향을 주는 대상을 탐닉하는 상태를 '중독'이라고 일컫는다. 자신의 의지와 결단으로 제어하거나 통제할 수 없는 지경에 이른 것이다.

반면 국어사전에서는 중독을 이렇게 풀이한다. 첫째, 음식물이나 약물의 독성에 의하여 기능장애를 일으키는 일 둘째, 술이나 마약 따위를 지나치게 투여 또는 복용한 결과, 그것 없이 견디지 못하는 병적인 상태 셋째, 어떤 사상이나 사물에 젖어버려 정상적으로 사물을 판단할 수 없는 상태 등이다.

생활 속에서 이런 중독 증세는 어렵지 않게 찾아볼 수 있다. 뭔가 큰 문제가 있을 때만 사용하는 특별한 단어처럼 보이지만, 실제로 중독이라는 말은 물질뿐만 아니라 대부분의 일상 활동에서도 쓰일 수 있는 광범위한 의미를 내포하고 있다. 현대 사회에서는 무엇이든 과도하게 몰입하는 장면에서 중독이란 말을 자주 사용하곤 한다.

뭔가 불안하거나 일이 잘 풀리지 않을 때 또는 그 반대로 사업이 잘되거나 좋은 일이 생겼을 때 습관처럼 점을 보러 가는 사람들이 있다. 또한 젊은 층에서는 타로나 MBTI 성격 유형 검사가 유행이다. 그냥 재미로 본다고 말하면서도 은근히 이를 맹신하는 경향이 있다.

"나는 ISFJ 권력형이래. 너는 뭐니?"

"그래? 나는 ESFP 사교형이라네."

"너는 맞는 것 같은데, 나는 아닌 것 같아."

"그냥 재미로 본 건데 뭐."

말은 그렇게 해놓고서 낮에 본 MBTI 성격 유형 검사가 머릿속을 떠나지 않는다. 요즘 들어 걱정이 많아지고 공부도 잘 안 되는 게 다 성격 탓 같다. 최근 남자친구와 신경전을 벌이다 헤어진 것도 성격 때문이라고 생각한다. 내향적 성격을 어떻게 하면 바꿀 수 있을지 걱정이다. 걱정을 덜어보려고 MBTI 성격 유형 검사를 했는데, 오히려 걱정거리가 늘었다.

MBTI는 '마이어스-브릭스 유형 지표Myers-Briggs Type Indicator'를 가리킨다. 작가 캐서린 쿡 브릭스Katharine Cook Briggs와 그녀의 딸 이사벨 브릭스 마이어스Isabel Briggs-Myers가 스위스의 정신과 의사 칼 구스타브 융Carl Gustav Jung의 성격 유형 이론을 근거로 개발한 성격 유형 선호 지표다. 어머니와 딸 모두 의사도 아니고 심리학자도 아니었다. 따라서 MBTI는 지표 자체의 객관성과 효율성에 의문이 많다. 일반인들에게 잘 알려진 성격 유형 검사지만, 과학적인 방법론에 기초한 현대 심리학과는 뿌리가 다르다. 주류 심리학계는 물론 정신의학계에서도 지나친 상업성 등을 이유로 MBTI 검사 자체를 논의하지 않고 있다. 이걸 맹신한 나머지 자신은 물론 주변 사람 모두를 이 기준으로만 들여다보고 판단하려 한다면, 이 역시 정신적 중독 상태의 일종이라고 볼 수밖에 없다.

특정한 틀이나 도구 속에 자신의 사고와 행동을 가두어두거나 이에 맞춰서 살려고 한다면 그 틀과 도구는 결국 내 인생을 망치는 요인이 될 수 있다. '나는 이런 유형의 사람이니까 이러저러한 행동을 해야 하고, 이러저러한 행동을 하면 안 돼.' 이런 위험한 규정은 자기충족적 예언Self-Fulfilling Prophecy의 효과를 나타낼 수 있다. 이는 반복되는 말이 생각을 규정해 행동으로 나타남으로써 무의식적으로 한 말이 미래에 실제 현실이 되는 것을 의미한다. 부정적으로 말하는 사람에게는 부정적인 일이 벌어지고, 긍정적으로 말하는 사람에게는 긍정적인 일이 생겨나는 현상이다. 사람은 객관적 상황에 반응하는 것이 아니라, 자신이 해석하고 받아들이고 믿는 상황에 반응하기 마련이다.

나는 중독을 전문적으로 연구한 의사가 아니다. 전반적인 정신건강의학과 진료를 주로 하고 있다. 그러나 일반적인 진료 과정에서도 개인의 문제에 영향을 미칠 수 있는 여러 가지 요인에 대해 살펴볼 기회가 많았다. 의외로 의학적으로 널리 알려진 문제들 이외에 일상에서 평범하게 마주하는 것들도 그것이 도를 넘어 지나치게 되면, 마치 중독처럼 누군가의 삶에 지대한 영향을 미친다는 사실을 확인할 수 있었다. 개인이 어떤 부분에 과하게 몰입하게 되는 경우는 거기에서 기대하는 또는 뜻하지 않은 만족감이나 즐거움을 얻기 때문이고, 그걸 통제하는 데 문제가 생기면 어떤 식으로

든 위험한 상황에 놓이게 된다.

주목해야 할 점은 중독이란 특정한 사람들에게서만 발생하는 것이 아니라 누구에게나 일어날 수 있는 어려움이라는 것이다. 나를 망치고 가족을 힘들게 하고 이웃과 사회를 멍들게 하는 것임이 확연한데도 짜릿함과 달콤함의 유혹을 이기지 못해 쾌락의 블랙홀 속으로 뛰어든다면 이 얼마나 어리석은 일이겠는가. 짜릿함과 달콤함이 강하면 강할수록 상응한 대가와 후유증이 따른다는 사실을 기억해야 한다.

특정 행위에 매몰되었을 때 가장 경계해야 할 것은 바로 통제할 수 없는 상황에 이르는 것이다. 내가 나를 통제할 수 없을 때, 무슨 일이 벌어질지 모른다. 내 의식과 행동이 내 통제선 밖으로 벗어났을 때 어떤 위험이 닥칠지 알 수 없다. 건강한 삶을 살기 위해서는 내가 나를 통제할 수 있어야 하고, 자신을 나의 통제선 안에 머물도록 해야 한다.

책이 나오기까지 도움을 받은 분들이 적지 않다. 부족한 글을 연재할 수 있도록 기회를 주고 공간을 제공한 정신의학신문 창간인 정정엽 선생님과 유승준 기자님께 감사드리고, 인내심을 갖고 책을 다듬고 꾸며주신 스노우폭스북스 편집부 관계자들께도 고마운 마음을 전한다. 사랑하는 아내 박진

주 씨와 두 딸 주아, 승아와도 책 출간의 기쁨을 함께 나누고 싶다.

평화와 온기가 넘치는 진료를 추구하는
정신건강의학과 전문의 전형진

차 례

멈출 수 없어 고민입니다

Part 2

몸과 정신을 파괴하는 쾌락의 덫

Part 3

일상을 파괴하는 평범한 유혹들

Part 4

우리 삶에 마냥 좋기만 한 것이 있을까요

Part 1

멈출 수 없어 고민입니다

폰 없이 이제는 살 수 없어요

스마트폰 중독

지하철에서 주변을 둘러보다가 섬뜩한 느낌을 받은 적 있다. 열차 안에 있는 모든 사람이 고개를 숙인 채 손에 쥔 스마트폰을 뚫어지도록 바라보고 있었기 때문이다. 거의 예외가 없었다. SNS든 유튜브든 게임이든, 사람들은 스마트폰 안의 신세계에 빠져 황홀경을 헤매는 것 같았다. 젊은 사람들은 무선 이어폰을 끼고 음악을 들으면서도 현란하게 손가락을 움직이며 메시지를 주고받았다. 진기한 풍경이었다.

다른 대중교통에서도 풍경은 다르지 않다. 버스에서도,

KTX에서도 사람들 모습은 비슷하다. 심지어 운전하다가 대기 신호에 걸리거나 차가 밀리면 습관적으로 스마트폰을 들여다보는 사람도 있고, 문자를 주고받는 사람도 있다. 그 손놀림이 신기에 가깝지만 위험천만한 일이다. 아이든 어른이든 스마트폰을 보면서 길을 걷는 경우마저 있다. 그러다 공사 중인 맨홀에 빠지거나 달리는 차와 맞닥뜨리기라도 하면 아찔한 일이 벌어질 수 있다.

최근 한 젊은 엄마가 중학생 딸과 함께 병원을 찾아 상담한 적이 있다. 딸아이가 잠시도 스마트폰에서 눈을 떼지 않아 병원까지 오게 되었다고 했다. 스마트폰을 그만 보라고 타이르기도 하고, 엄하게 꾸중하기도 했지만 소용없었다. 중학생 딸의 정서 건강이 걱정스러운 엄마의 잔소리를 딸은 이해하지 못했다.

"저만 그런 게 아니라고요. 우리 반 애들 대부분 저처럼 스마트폰 보면서 살아요. SNS하고 유튜브 보고 게임 안 하면 뭐하면서 놀아요? 어른들만 스트레스받는 게 아니라고요. 저희도 진짜 힘들어요."

스마트폰을 손에서 놓지 못하는 것은 아이들만이 아니다. 성인들도 쌓인 스트레스를 스마트폰으로 풀거나 스마트폰

속의 세상에서 위로를 얻는 경우가 많다. 침대에 누워 스마트폰을 보느라 밤을 새우기도 한다.

"밤만 되면 내일 또다시 회사에 출근해야 한다는 생각에 한숨이 나와요. 특히 일요일 밤에는 스트레스가 더 심하지요. 잠들지 못해 멀뚱거리다가 스마트폰을 찾습니다. 넷플릭스를 뒤져 영화를 보거나 웹툰을 찾아보다 보면 시간이 금방 지나가요. 그래도 잠이 오지 않으니까 이런저런 영상을 뒤져보는 거죠. 그러다 자연스럽게 잠이 들면 그나마 다행이지만, 밤을 꼬박 지새우는 날은 낭패가 아닐 수 없어요. 물에 젖은 솜처럼 무거운 몸을 일으켜 대충 씻고 출근합니다. 컨디션은 완전 바닥이죠."

"업무 중에 자꾸 스마트폰을 들여다보게 돼요. 친구에게 연락이 오진 않았는지, 자주 쓰는 쇼핑 앱에서 알림이 온 것은 없는지, 아니면 무의식중에 인스타그램이나 페이스북 같은 SNS를 확인합니다. 집중도 깨지고 때로는 상사에게 잔소리도 듣는데, 습관적으로 스마트폰을 열어요. 특별한 의미도 없는데 말이죠. 퇴근길에도 전철 안에서 스마트폰으로 늘 음악을 듣는데, 멍하니 스마트폰을 뒤적이다 내려야 할 역을 놓친 적도 몇 번 있어요."

젊은 직장인들과 상담하다 보면 이런 하소연을 자주 듣는다. 이러면 안 된다고, 스마트폰을 보는 시간을 좀 줄이자고 거듭 다짐하지만, 실천이 쉽지 않다.

중독, 남용, 의존의 상관관계

언제부터 우리는 스마트폰이 없으면 살 수 없게 된 것일까? 지금과 멀지 않은 과거, 그러니까 스마트폰이 등장하기 이전에, 버스나 지하철을 타면 책을 읽거나 신문을 보는 사람이 꽤 있었다. 그 당시 일본이 한국보다 더 잘 사는 이유 중 하나를 국민의 실제 독서량으로 꼽았다. 뉴스에서도 자리에 앉은 사람이나 서 있는 사람이나 한결같이 작은 문고본 책을 읽고 있는 일본의 전철 안 모습을 자주 보여주곤 했다. 그래서인지 버스나 지하철 안에서 책을 읽지 않으면 시간을 허투루 보내는 것 같았다. 요즘은 모두 사라져 버린 지난날의 풍경이다.

상담을 진행 중이던 어느 중학교 교사에게서 전해 들은 이야기다. 스마트폰이 우리 생활에 깊숙이 스며든 만큼, 학교생활에도 적지 않은 영향을 주고 있다는 것을 확인할 수 있었다.

> "학생들이 학교에 오면 수업 시작 전에 스마트폰을 다 걷어서 보관했다가 종례 후 집에 갈 때 다시 돌려줍니다. 아이들이 스마트폰을 가지고 있으면 수업 진행이 어렵기 때문이지요. 수업에 집중하지 않고 내내 스마트폰만 들여다보는 아이도 있어요. 몰래 수업 내용을 녹음하기도 하고, 동의 없이 사진을 찍기도 합니다. 그래서 한꺼번에 수거하는 거죠.
> 그러다 보니 고통을 호소하는 아이도 있어요. 손에서 스마트폰이 없어지면 불안과 초조가 밀려오는 거예요. 강제로 담배를 피우지 못하게 했을 때 흡연자가 느끼는 일종의 금단현상 같은 거라고나 할까요? 그렇다고 그 아이에게만 스마트폰을 줄 수는 없잖아요? 학교에서 스마트폰 때문에 일어나는 일들이 참 많습니다."

중독中毒의 사전적 정의는 "해로운 무언가에 지나치게 빠져 정상적인 생활이나 사고를 할 수 없는 지경에 이른 것"을 의미한다. 독성에 의해 신체 기능에 장애가 생기는 경우, 그

것이 없으면 견디지 못하는 병적 상태, 특정 사상이나 사물에 젖어서 제대로 판단할 수 없는 상황을 중독이라고 한다.

의학적으로 설명하면 중독은 유해 물질에 의한 신체 증상으로서의 중독과 약물 남용 등에 의한 정신적 의존증으로서의 중독으로 나누어볼 수 있다. 정신의학에서 다루는 중독은 '남용'과 '의존'이라고 하는 습관성 중독이다.

남용이란 의학적 목적과는 상관없이 약물을 지속해서 사용하는 것을 의미한다. 남용은 내성이 생기면서 더 심각해진다. 내성은 약물을 사용했을 때 효과가 점점 감소하거나 같은 효과를 얻기 위해 점차 용량을 증가시켜야 하는 상태를 말한다. 남용 물질로는 알코올, 니코틴, 카페인, 마약류, 환각제 등이 있지만, 범위를 넓히면 인터넷 중독, 쇼핑 중독 등의 행위도 포함할 수 있다.

의존은 '심리적' 의존이 있어 계속해서 특정 물질을 찾는 행동을 하고, '신체적' 의존이 있어 의지대로 복용을 중단하지 못하며, 이에 따라 신체와 정신의 건강을 해치는 걸 의미한다. 심리적 의존이란 약물을 계속 사용하며 긴장과 감정적 불편을 해소하려는 것이다. 담배를 피우면 안 된다는 것을 알고, 피우지 않으려 노력하지만 자기도 모르는 사이에 입에 담배를 물고 있는 것처럼 갈망과 탐닉이 불러일으킨 유혹에 번번이 넘어가 중독에 빠지게 된다.

남용과 의존은 집착과 강박적 행위로 강화된다. 정신과 치료를 통해 이를 끊는 단계로 진입했을 때 생겨나는 것이 금단 증상이다. 치료 약을 제시간에 먹지 않거나 적절한 상담 치료를 받지 않으면 심리적, 생리적 금단 증상이 뒤따른다. 흥분과 초조, 불안과 공포, 나른함과 공허함 등이 그것이다. 이를 견디는 게 쉽지 않다. 그래서 중간에 포기하고 자신이 중독된 그것을 찾아 헤매느라 시간과 에너지를 쏟아붓는다. 가족 관계도, 학교생활도, 사회생활도 엉망이 될 수밖에 없다.

스마트폰에 지배당하지 않으려면

정상적인 생활을 흔들고, 자율적인 사고 능력을 마비시킬 정도라면 그게 무엇이든 삶의 중심에 자리 잡게 해서는 안 된다. 현대사회의 모든 문명의 이기는 삶을 풍요롭게 하고 행복하게 하기 위한 도구일 뿐이다. 도구는 목적이 될 수 없다. 스마트폰 역시 마찬가지다. 현대 문명이 가져다준 편리하고 유용한 도구, 그 이상도 이하도 아니다. '나는 스마트폰이라는 도구를 활용하는 주인이다. 스마트폰에 끌려다니거나 의존해서 살아가는 나약한 존재가 아니다.' 이런 마음을 가져야 한다.

스마트폰 때문에 잠을 설치면 이튿날 학업이나 업무에 집중하기 힘들다. 잠깐이라도 손에서 스마트폰을 놓으면 불안하고 초조하다. 스마트폰을 찾았으나 보이지 않을 때 눈앞이 캄캄하고 머릿속이 하얗다. 중요한 회의나 모임에서도 자꾸 스마트폰에 눈길이 가고 만지고 싶다. 스마트폰이 없으면 정말 살 수 없을 것 같다. 이런 증상을 보이는 사람이라면 '스마트폰 중독'을 의심해야 한다.

현대인의 주요한 소통 매개체인 스마트폰은 갈수록 존재감이 커지고 있다. 《CHANGE 9》에서 최재붕 교수는 현대인에게 스마트폰은 명백한 '인공장기'에 가깝다고 말한다. 종일 우리의 몸과 붙어 있으면서 생각, 습관, 행동 양식을 바꾸는 역할을 한다고 역설한다. 그렇다면 과연 우리는 제3의 장기와 같은 스마트폰에서 자유로울 수 있을까? 어떻게 하면 스마트폰 의존증에서 벗어날 수 있을까?

필자는 세 가지 방법을 추천한다. 첫째, 하루 중 스마트폰 사용 시간을 정해 놓고, 그 시간 외에는 스마트폰을 찾거나 들여다보지 않는 것이다. 학생이라면 하교 후 저녁 먹기 전까지, 직장인이라면 낮에 회사에서 업무에 집중하는 때 등으로 각자 사정에 맞게 시간을 정한다. 특히 잠자리에 들기 직전에는 사용을 중단하는 게 낫다. 시간적 여유가 있어 스마트폰에 더욱 몰두하게 되고, 스마트폰을 과도하게 사용하게 된다. 그러다 보면 이튿날 컨디션에 악영향을 미치고, 스마트폰 의존이 강화될 가능성이 크다.

둘째, 스마트폰의 여러 기능 중 중독성이 강한 기능을 사용하지 않거나 사용 시간을 줄일 방법을 찾아본다. 게임처럼 중독성이 강한 앱 자체를 없애버릴 수도 있다. 상황에 따라서는 단톡방이나 밴드에서 탈퇴하는 방법도 있다. 소셜미디어 앱의 경우 삭제가 어렵다면 시간 간격을 설정하고, 그 시간에만 앱을 확인하도록 노력한다.

셋째, 스마트폰에 대한 집착을 다른 데로 돌릴 수 있게끔 새로운 취미나 활동을 찾아본다. 수영, 명상, 요가 등 스마트폰을 아예 사용하기 어려운 활동에 참여하면 효과적이다. 영화나 음악 감상, 산책, 등산, 낚시 등 여가를 보낼 만한 색다른 관심사를 발견하는 것도 좋다. 반려동물을 키우는 것도 고려해볼 만하다.

스마트폰 중독에서 벗어나기 위한 노력은 본인에게만 국한된 게 아니다. 부모나 배우자, 친구나 직장 동료 등 주변 사람들이 당사자가 스마트폰 중독에서 벗어날 수 있도록 도와주어야 한다. 중독에 빠진 사람을 비난하고 손가락질하는 건 바람직하지 않다. 중독자를 더욱 구렁텅이로 내모는 행위다. 공감과 배려와 존중이 진정한 답이다.

삶을 변화시키는 근본적인 힘은 행동에 있다. 감정이 행동을 이끄는 게 아니라 행동이 감정을 이끈다. 과감히 결심하고 행동하면 집착과 강박에 사로잡혔던 내 감정 또한 자연스레 변화할 것이다.

나는 쇼핑한다,
그러므로 존재한다

쇼핑 중독

 # SCENE 1

중소기업에 다니는 30대 후반의 남성 A 씨는 최근 아내 B씨와 심하게 다투었다. 일찍 퇴근하던 A 씨가 아파트 우편함에서 아내의 신용카드 지출명세서가 담긴 편지 봉투를 발견하고, 먼저 열어 봤기 때문이다.

"여보, 이게 뭐야? 집에만 있으면서 신용카드를 300만 원이 넘게 쓴 거야? 당신 도대체 내 월급이 얼만지나 알아?"

궁지에 몰렸던 아내가 시간이 조금 지나자 반박했다.

"필요하니까 샀지, 왜 샀겠어? 코로나 때문에 밖에 나가지도 못하고, 친구들도 만나지 못하는데, 집에서 쇼핑 좀 한 게 그렇게 잘못이야?"

A 씨는 평소 지출 규모보다 두 배 넘게 돈을 쓰고도 코로나 핑계를 대는 아내에게 기가 막혔다. 가정주부인 B 씨는 다섯 살 된 아들과 세 살 난 딸을 돌보느라 다니던 직장을 그만둬 수입이 없다. A 씨는 자신의 월급만 가지고는 아내의 카드 비용까지 감당하기 어렵다. 대출이라도 받아야 하나 싶은데, 아내는 틈만 나면 노트북 컴퓨터 앞에 앉아 인터넷 쇼핑을 즐긴다.

#SCENE 2

20대 후반 직장인 C 씨는 벌써 여섯 달 넘게 재택근무 중이다. 남들은 대기업에 취직했다며 부러워하지만, 회사에 출근한 지 얼마 되지 않아 터진 코로나 사태가 점점 심각해지는 바람에 드문드문 출근하다가 회사 방침상 아예 집에서 일하게 되었다. 보란 듯이 대기업에 입사했으면서도 매일 자취방에 앉아 있어야 하는 자신이 가끔은 한심스럽다.

"곧 완판입니다. 강원도 횡성 한우로 만든 최고 품질의 갈비 세트, 오늘 이 시간이 아니면 이 가격에 사실 수 없습니다. 빨리 전화주세요!"

점심 식사 후 C 씨는 홈쇼핑을 보며 여기저기 전화를 걸었다. 마감이 임박했다는 쇼호스트의 외침을 외면할 수 없었다.

업무를 마치고 C 씨는 홈쇼핑으로 주문한 낙지 전골을 데워 먹었다. 역시 홈쇼핑으로 주문한 수제 맥주를 곁들였다. 기분이 한결 나아지는 것 같았다.

"지금까지 이런 조합은 없었습니다. 시원한 여름 면바지에 티셔츠, 그리고 모자까지 합쳐서 10만 원. 정말 파격적인 가격입니다. 곧 마감하겠습니다!"

C 씨는 맥주 캔을 내려놓고 스마트폰을 찾아 전화번호를 눌렀다. 이런 기회는 다시 오지 않는다는 쇼호스트의 낭랑한 목소리에는 거짓이나 과장이 없어 보였다. 오늘도 좋은 물건을 싸게 샀다는 성취감에 웃음이 났다.

두 사례의 주인공들은 모두 '쇼핑 중독'에 가깝다. 쇼핑 중독은 의학적으로 확실히 규정된 정신질환은 아니지만 많은 현대인이 앓고 있는 질병이다. 쇼핑 중독은 순간적인 충동이나 집착으로 필요하지도 않은 물건을 분별없이 구매하거나, 자신의 경제력으로 감당하기 어려운 금액의 물건을 구매하는 일이 빈번하게 나타나는 질환이다. 이는 뭔가를 구매하고 소유하려는 욕구를 스스로 조절하지 못함으로써 자신과 타인에게 피해를 주는 병이다.

'정말 이번에 딱 한 번만 사고 끝내야지. 다시는 쇼핑 안 할 거야.' 언제나 이렇게 마음먹고 쇼핑하지만, 그것은 늘 작심삼일에 그칠 뿐이다. '아, 이건 진짜 누가 봐도 필요한 거야. 안 살 수는 없지.' 쇼핑 뒤 이런 식으로 자신을 위로하지만 얼마 가지 않아 마음이 착잡하다.

쇼핑 중독에 빠진 사람 중 상당수는 여성이다. 그래서인지 인터넷 쇼핑몰이나 텔레비전 홈쇼핑 업체에서 판매하는 상품 대부분이 여성을 겨냥한 것들이다. 구매를 부추기는 쇼호스트나 모델들 역시 젊은 여성이 주를 이룬다. 쇼핑 중독에 빠진 사람은 인터넷이나 홈쇼핑뿐만 아니라 백화점이나 쇼핑몰 등을 찾아 쇼핑을 즐기기도 한다.

쇼핑중독을 질병으로 이해해야 하는 이유

그렇다면 왜 쇼핑 중독에 빠지는 걸까? 스트레스를 많이 받으면 격렬한 운동을 하거나 맛있는 음식을 찾는 등 우리는 각자만의 방식으로 스트레스에서 벗어날 방법을 찾는다. 스트레스 해소 방법으로 쇼핑을 선택한 사람들은 쇼핑 중독에 취약한 것이 사실이다. 쇼핑 중독자는 상품을 구매하고 물건을 소유함으로써 스트레스를 풀고 불만을 해소한다. 오직 쇼핑만으로 욕구를 해결하는 사람이다.

경제적으로 몹시 어렵게 살았거나 학창 시절 가난한 형편 때문에 곤란을 겪었던 사람 중에 경제적 사정이 조금 나아지기만 하면 과도한 쇼핑을 경우가 있다. 쇼핑으로 과거의 아픔에서 벗어나거나 그 시절의 슬픔을 상쇄하려는 것이다. 그런 사람들은 수입이나 경제력이라는 엄연한 현실을 부정하고, 비싸고 고급스러운 물건을 마음껏 구매하는 나를 진정한 자기 모습이라고 착각한다. 마치 현실을 꿈속처럼 인지하는 것이다. 그러다 문득 꿈에서 깨어나면 비로소 현실 속의 자기를 발견하고 후회하며 괴로워한다.

거의 모든 중독에 내성과 금단 증상이 있듯이 쇼핑 중독에도 내성과 금단 증상이 있다. 작은 물건을 사는 행위에 쾌감을 느끼던 단계를 지나면 큰 물건을 사야만 쾌감을 느끼는 단계로 진입하고, 이 단계마저 통과하고 나면 비싼 상품을 여러 개 사야만 만족할 수 있는 단계에 이른다. 더 강한 자극을 줘야만 쾌감을 느낄 수 있기 때문이다. 한편 쇼핑하지 않으면 왠지 모르게 불안하고 초조한 감정을 느낄 수 있다. 다시 뭔가를 구매하지 않는 한 이러한 불안과 초조는 해소되지 않는다. 쇼핑 금단 증상 때문이다.

통제하기 어려울 정도로 쇼핑 중독에 빠져들게 되면 우울증과 불안장애에 시달릴 수 있다. 여기서 벗어나고자 술이나 약물에 의존할 경우, 알코올 및 약물 남용이 동반될 수도 있다. 경제적 부담도 피할 수 없음은 물론이다. 그렇게 쇼핑 중독에 빠진 사람들은 감당할 수 없는 빚을 진다. 이는 일상생활이 무너지고, 심지어 가정 파탄에 원인이 된다. 쾌락은 너무나 짧고, 치러야 할 비용은 한없이 무거운 법이다.

진짜 행복은 돈으로 살 수 없다

쇼핑 중독에서 벗어나려면 어떻게 해야 좋을까? 먼저 구매 욕구를 불러일으키는 유혹과 자극에서 멀찍이 거리를 둔다. 자극이 없으면 당연히 반응도 일어나지 않는다. 홈쇼핑 방송 채널과 인터넷이나 모바일 쇼핑몰 사이트를 가능한 한 차단한다. 신문, 잡지, 각종 할인 광고, 쿠폰 북, 홍보 전단 등도 접하지 않을 수 있는 환경을 조성한다.

두 번째로 정신건강의학과 전문의와 상담을 시도한다. 쇼핑 중독에 동반된 질환이 있다면 적절히 치료하면서 인지행동 치료를 시도하는 것이 유의미하다. 동반 질환의 치료만으로도 충동구매나 과소비와 같은 특정 행위를 감소시킨다는 연구가 적지 않다. 인지행동 치료를 통해 충동적인 소비로 이어지는 자극, 감정, 생각을 탐색하고, 이를 완화하는 방법을 익힌다. 예를 들어 부정적인 감정에 휘말려 순간적으로 기분을 바꾸기 위해 물건을 구매하는 경우, 구매 행위가 가져올 부정적인 결과를 돌아보고, 다른 방식으로 기분을 전환하는 전략을 고안하는 것이다.

세 번째로 합리적인 쇼핑 방법을 습관화한다. 쇼핑 전에는 반드시 구매 목록을 작성하고, 구매 목록에 없는 물건은 구매하지 않으며, 신용카드나 체크카드의 한도를 적정선으로 줄여서 사용하고, 백화점이나 마트 등을 갈 때 혼자 가지 않고 배우자나 가족 또는 친구와 함께 가면 과도한 쇼핑을 원천적으로 차단할 수 있다.

삶의 기쁨을 쇼핑이 아닌 운동이나 레저, 여행 등 건전한 취미와 생활 속에서 발견할 수 있다. 인터넷과 텔레비전, 스마트폰이 없어도 얼마든지 즐겁게 살 수 있다는 걸 깨달아야 한다. 소비하지 않아도 자기만의 온전한 기쁨을 찾을 수 있다.

한때 '지름신'이나 '시발비' 등의 신조어가 유행한 적 있다. 모두 강력한 구매 욕구, 즉 충동구매를 의미하는 단어다. 도무지 자신의 힘으로는 제어할 수 없는 강력한 구매 욕구를 표현한 것이다. 쇼핑 중독은 순간적인 충동이나 집착을 억제하지 못해서 생기는 정신적 질환이다. 과도한 소비는 우리를 행복으로 이끌지 못한다. 행복은 돈으로 살 수 있는 게 아닌 까닭이다. 인생의 진정한 행복은 소박한 현실에 만족하고, 성실하게 살아가는 오늘 하루 속에 담겨 있다.

참을 수 없는 저체중의 유혹

다이어트 중독

몰라보게 달라진 모습으로 텔레비전에 출연해 시청자들을 깜짝 놀라게 한 연예인이 있었다. 키 180센티미터에 체중이 120킬로그램에 달해 씨름 선수 못지않았던 그가 다이어트를 통해 30킬로그램을 감량한 뒤 90킬로그램의 날씬한 몸매가 되어 나타난 것이다. 그는 고등학생 시절의 몸무게인 80킬로그램까지 감량할 계획이라고 말했다. 귀엽기만 했던 이미지를 벗어나 늘씬하고 멋진 남자로 변신한 그는 자신감이 넘쳐 보였다.

인기 배우나 가수 등 연예인들의 다이어트 성공 사례는

수많은 대중에게 다이어트에 대한 강렬한 욕구를 불러일으킨다. 더욱이 각종 미디어를 통해 매 순간 우리 시야에 들어오는 호리호리한 몸매의 유명인들은 마른 몸에 대한 지나친 환상을 심어준다. 그런 연예인들의 모습을 본 사람들은 저도 모르게 다이어트를 결심하게 된다. '다이어트에 성공해서 저 사람처럼 날씬하고 아름다운 몸매를 가져야지!'

이런 사람들을 위해 지금까지 소개된 각종 다이어트 비결, 음식, 책자, 약품, 운동 방법 등은 헤아릴 수 없을 만큼 그 수가 방대하다. 심지어 어떤 사람들은 살을 빼기 위해 주사를 맞고 지방 제거 수술을 받는다. 이것저것 다 해봐도 살이 빠지지 않는다며 무작정 금식을 단행하는 사람도 있다. 원하는 체중을 얻기 위해서 그 어떤 위험이나 부작용도 감수하겠다는 사람들이 적지 않다. 과학적이고 체계적으로 다이어트를 도와주는 전문 기업도 생겼다. 가히 다이어트 열풍이라고 하지 않을 수 없다.

다이어트란 무엇일까? 다이어트diet는 본래 '식단'이라는 뜻이나, 지금은 의미가 변해 '미용이나 건강을 위해 살이 찌지 않도록 먹는 것을 제한하는 일'을 가리킨다. 우리나라에서는 살을 빼는 행위 자체를 일컫기도 한다.

인간은 먹고사는 존재다. 먹어야 살고 먹지 않으면 죽는다. 배우지 않아도 본능적으로 알게 되는 불변의 진리다. 이 말을 바꾸어 생각하면 특수한 경우를 제외하고, 살은 필요 이상 많이 먹기 때문에 생기는 것이다. 먹지 않으면 점점 마를 수밖에 없다. 인간의 몸이 그러하다. 따라서 살을 빼려면 생존과 활동에 필요한 최소한의 양을 먹으면 된다. 그런데 이것이 생각처럼 쉽지 않아 다이어트에 성공하기가 어렵다.

과도한 강박감이 만들어낸 질병

'다이어트 중독'은 대중 사이에서 일반적으로 사용되는 용어일 뿐 정신건강의학과에서 다루는 정식 병명은 아니다. 체질량 지수가 매우 높거나, 건강상 의사로부터 살을 빼도록 권고받았거나, 자신이 느끼기에 체중 과다로 일상생활에 지장이 있다면, 전문의 등의 도움을 받아 적절한 방법으로 살을 빼는 것은 바람직하다.

그러나 체중이 적정함에도 불구하고 과다하다고 오해하며 무리한 방법을 동원해 습관적으로 다이어트에 몰두하는 것은 오히려 건강을 망치고 일상생활에 심각한 지장을 초래한다. 이를 다이어트 중독이라고 부른다. 다이어트 중독은 일종의 강박증Obsession이다.

강박증이란 본인의 의지와 무관하게 어떤 생각이나 장면이 떠올라 불안해지고, 그 불안을 없애기 위해 특정한 행동을 반복하는 질환이다. 강박증 환자는 자기 행동이 이상하고 불합리하다는 것을 알고 있고, 이를 그만두려고 노력을 기울이지만 뜻대로 되지 않는 경우가 많다. 예를 들어 방금 목욕하고 손을 깨끗이 씻었는데도, 자꾸 불결하다는 생각이 들어 또 씻기를 반복하는 사람이 이에 속한다.

날씬하거나 마른 몸매임에도 살을 더 빼야 한다며 또다시 다이어트에 돌입하는 사람이 있다면, 다이어트에 지나치게 몰두하다가 중독 현상이 생겨 강박증으로 이어진 사례로 볼 수 있다. 다이어트 중독은 거식증Anorexia Nervosa으로 연결될 가능성이 크다. 거식증이란 다이어트 강박에 사로잡혀 식욕부진이 생기고, 음식을 거부할 뿐만 아니라 소화를 시키지도 못하게 되는 증상이다. 이를 신경성 식욕부진증이라고도 한다.

신경성 식욕부진증에 걸린 사람은 체중 증가나 비만에 심한 두려움을 가져 체중 미달 상태에서도 끊임없이 체중을 감소시키려고 노력한다. 날씬해지기 위해 극단적으로 음식을 먹지 않거나 식사 후 곧바로 인위적으로 구토하거나 과격한 운동을 하고 설사약을 먹는다. 거식증이 오랫동안 지속되면 영양 결핍 상태에 이르고, 저체온증, 무월경, 부종 등이 나타나며, 저혈압과 심장마비를 일으킬 수도 있다.

몇 년 전 언론을 통해 충격적인 사진이 공개된 적 있다. 다이어트 중독으로 거식증에 걸린 러시아에 사는 스무 살 여성의 모습이었다. 한창 청춘을 즐겨야 할 나이의 그녀는 극심하게 말라 있었다. 허벅지, 종아리, 팔뚝을 비롯해 깡마른 몸이 잎이 흡사 다 떨어진 한겨울 나뭇가지 같았다. '걸어 다니는 해골'로 불리는 그녀의 키는 160센티미터 전후인데, 몸무게는 약 26킬로그램이라고 했다. 살 빼기 전에도 충분히 아름다웠던 그녀는 다이어트 중독에 빠진 이후 원래의 아름다움은 물론 건강과 희망까지 잃어버렸다고 한다. 그녀는 대표적인 다이어트 중독 사례다. 이 정도까지는 아니더라도 다이어트 때문에 자신의 삶과 인간관계가 흔들린다면 자신이 다이어트 중독이 아닌지 성찰해 봐야 한다.

다이어트 중독에 빠진 사람들에게서 발견되는 몇 가지 공통점은 다음과 같다. 이 공통점 중에 세 개 이상 동의한다면 다이어트 중독을 의심해야 한다.

> 첫째, 날씬한 사람을 보면 질투가 난다.
> 둘째, 뚱뚱한 내 몸을 사랑하지 않는다.
> 셋째, 사람을 대할 때 몸무게를 제일 먼저 파악한다.
> 넷째, 자기보다 뚱뚱한 사람은 무시하고, 날씬한 사람은 경계하거나 피한다.
> 다섯째, 체중만 생각하면 우울해진다.
> 여섯째, 식사가 즐겁지 않고, 폭식과 금식을 반복한다.
> 일곱째, 모든 일상과 관계를 다이어트라는 잣대로 평가하고 판단한다.

아름다움에 관한 오랜 고정관념에서 벗어나려면

다이어트 중독은 마음의 문제다. 마음을 다스리고 치료해야 고통에서 벗어날 수 있다. 일단은 다이어트를 잊어버리고, 의식하지 말아야 한다. 체중 감량을 의식할수록 스트레스가 쌓이면서 강박의 세계로 들어간다. 스트레스를 받으면 식욕이 증가해 폭식으로 이어지고, 폭식 뒤에 자신을 책망하며 또다시 다이어트에 돌입하게 된다. 폭식한 음식을 토해내거나 무리한 단식을 할 수도 있다. 이런 패턴이 반복되면 많이 먹고 나서도 쉽사리 음식을 제거할 수 있다는 믿음이 생겨 폭식이 습관화될 수 있다.

체형에 대한 자기 생각을 점검하는 것도 중요하다. 삶을 평가하는 데 있어 체중이나 체형이 큰 비중을 차지한다면 그보다 더 중요한 것들을 놓치게 된다. 관심이 과하면 약간의 변화에도 스트레스를 받을 수밖에 없다. 보통 사람의 3킬로그램과 체형이 곧 자산인 패션모델의 3킬로그램이 같은 의미일 수는 없다. 현재 자기 모습을 있는 그대로 받아들이기 위해 노력해야 한다. 살은 인생의 전부가 아니다. 뚱뚱하다고 비참한 인생을 사는 것도 아니고, 날씬하다고 화려한 삶을 사는 것도 아니다. 각자 자기 삶을 구성하는 데는 다른 중요한 요소들이 얼마든지 있다.

자신에게 맞는 식단을 짜서 반드시 지켜야 한다. 야식이나 간식을 먹지 않고, 폭식을 금하며, 무리한 단식을 하지 않은 것도 중요하다. 배가 부른데도 자꾸 먹는 것은 건강을 해친다. 좋은 생활 습관을 들이면 일부러 다이어트를 하지 않아도 얼마든지 적당한 체중을 유지할 수 있다.

다른 사람들의 시선이나 평가를 너무 의식할 필요는 없다. 내 인생은 내가 책임지는 것이고, 아무도 내 인생에 나만큼 관심을 가지지 않는다. 남의 시선이나 평가가 내 삶의 최우선 순위가 아니라 내가 내 삶의 최우선 순위에 올라가야 한다. 나보다 소중한 건 없다.

극단적인 방법의 다이어트, 예를 들면 식욕을 억제하는 약물 복용, 위를 묶거나 음식이 지나는 통로를 우회시키는 수술법, 신체의 지방을 제거하는 지방 흡입술 등은 의학적 치료를 위한 목적 이외에는 사용하면 안 된다. 이는 자신을 해치는 일이지 자신을 사랑하는 일이 아니다.

날씬하고 마른 것이 아름답고 좋은 것이라는 생각은 벗어 던져야 할 고정관념이다. 예전에는 뚱뚱한 스타일, 살이 좀 붙은 몸매를 미인의 전형으로 여겼다. 대가들이 그린 동서양의 옛 그림들에 등장하는 여성들 몸이 대부분 그랬다. 깡마른 몸에 대한 그릇된 기준과 환상이 생겨난 것은 20세기 이후다. 얼마 되지 않았다.

체중이 좀 더 나가도, 약간 통통해도, 배가 다소 나왔어도,

얼마든지 귀엽고 매력적일 수 있다. 그런 자신을 사랑해야 남들도 자신을 이상한 시선으로 보지 않고 사랑하게 된다. 아름답고 멋진 외모를 갈망하지 말고, 즐겁고 행복한 삶을 갈망하라. 편안한 마음으로 식사하고, 자신에게 어울리는 운동을 찾아 꾸준히 하면서 건강한 삶을 추구하라. 체중과 관계없이 아름답게 빛나는 자신을 기대하고 발견하면 스스로 그렇게 변할 것이다.

전지전능한 나로 사는 통쾌한 세상

게임 중독

"쏴, 쏴!"

"저놈 빨리 잡아 죽여!"

"휘둘러, 칼을 휘둘러!"

"수류탄 던져, 수류탄!"

"폭탄 설치해!"

"오케이, 죽었다!"

전쟁 영화의 한 장면이 아니다. 초등학생들이 인터넷 게임을 하면서 내뱉는 말들이다. 긴박하게 오가는 대화에서 아이들의 목소리가 신경질적으로 높아졌다. 중간중간 거친 욕설도 마구 튀어나왔다.

게임은 십 대 아이들의 대표적인 놀이다. 팬데믹의 영향으로 야외 활동이 줄어들고 실내에 머무르는 시간이 길어진 만큼 게임에 의존하는 아이들의 숫자가 부쩍 늘었다. 한 방송국의 교육 프로그램에서 게임에 빠진 청소년들을 인터뷰한 내용을 들어봤다.

> "침대에서 일어나자마자 간단히 라면을 먹고 곧바로 게임을 시작해요."
> "정말 잠깐만 하려고 했는데, 어쩌다 보니까 두세 시간이 금방 지났더라고요."

한번 시작하면 도저히 멈출 수 없는 것, 그것이 바로 게임의 세계다. 과거에는 청소년들의 지나친 게임 몰입이 사회문제로 부각되었으나 이제는 성인들까지 게임의 쾌락 속으로 빠져들고 있다. 무료한 시간을 보내려고 재미 삼아 잠깐 게임을 하는 차원을 넘어서서 시간만 나면 게임을 찾아 헤매는 게임 중독자들이 양산되고 있다.

게임 중독이란 무엇인가

미국의 정신과 의사 골드버그는 1996년 미국정신의학회에서 발행한 《정신질환 진단 및 통계 편람DSM-IV》의 물질 중독 기준을 준거로 '인터넷 중독 장애Internet Addiction Disorder'라는 용어와 개념적 진단 준거를 만들었다. 이에 따르면, 인터넷 중독은 개인이나 다른 사람에게 해가 될 수 있는 행위를 하려는 충동, 욕구, 유혹에 저항하지 못하는 행동장애로 충동조절장애의 한 유형이라 할 수 있다. 물질을 사용하는 다른 중독과 마찬가지로 금단과 내성, 사회적 또는 직업적 손상이 뒤따른다.

2013년 출간된 《정신질환 진단 및 통계 편람DSM-5》에는 '인터넷 게임 장애Internet Gaming Disorder'라는 용어로 등재되었다. 현재 '추가 연구 필요'로 분류된 상태다. 아직 게임 중독에 대한 의학적 진단 기준이 마련되어 있지는 않지만, 통칭 게임 중독을 인터넷 중독이라 부르기도 한다.

게임 중독Game Addict이란 정상적인 생활에 지장을 받을 정도로 게임에 몰두하는 상태를 가리킨다. 심리학 용어로 말하자면 병적인 게임 과몰입 혹은 과잉 의존이다. 게임 중독에 빠지면 학교생활이나 직장생활뿐 아니라 건강에도 악영향을 미친다. 생활 습관이 게임을 중심으로 형성되다 보니 항상 잠이 부족하고, 제때 식사하는 일도 잊어버리게 된다. 컴퓨터나 게임기와만 마주하고 있는 까닭에 대인관계에도 심각한 문제가 생긴다.

어린이나 청소년의 경우, 주의력결핍 과잉행동장애ADHD로 게임 중독에 이를 가능성이 크다. ADHD는 강도 높은 자극을 추구하려는 욕구와 충동을 강화하기 때문이다. 게임에 중독되면 시간 개념이 모호해지고, 현실과 가상 세계를 혼돈함으로써 현실에 대한 적응력이 떨어지며, 가족 간에 갈등이 생기고, 폭력적이고 공격적인 말고 행동을 쉽게 할 수 한 것이다.

오랜 시간 게임에 과도하게 몰두하면 우리 뇌에는 분명한 변화가 생긴다. 을지대학교 의과대학 신경정신과 구영진 교수팀은 2008년 인터넷 중독 청소년을 대상으로 '뇌 신경 자극성 변화'에 관한 연구를 진행했다. 뇌를 양전자방출 영상진단장치PET로 촬영한 결과 시각 정보 처리의 활성이 크게 떨어진 것으로 나타났다. 과도한 자극에 노출된 신경 경로는 자극이 없으면 큰 폭으로 감소한 것이다.

이렇듯 장기간 게임 등에 몰입하던 사람이 게임보다 덜 재미있는 걸 하게 되면 뇌에서 아무런 반응이 일어나지 않는다. 인터넷에 중독된 청소년들의 전두엽 활성은 알코올 중독자나 마약 중독자 연구에서 나오는 갈망 상태와 비슷했다.

서울대학교 의과대학 핵의학교실 김상은 교수팀 역시 2012년 인터넷 게임 중독자를 대상으로 PET를 이용해 대뇌 포도당 대사와 충동성을 분석하는 실험을 했다. 그 결과 인터넷 게임 중독자는 대뇌에서 비정상적 포도당 대사 징후가 나타나고, 충동 조절 물질인 도파민 D2도 낮게 방출되는 것을 확인했다. 인터넷 게임 중독자 역시 충동조절장애를 겪는 사람이나 알코올 중독, 마약 중독 환자와 동일한 형태의 뇌 구조 변화를 보인 것이다.

또한 오른쪽 안과 전두피질, 왼쪽 미상핵, 오른쪽 도회에서 정상 사용자에 비해 높은 대뇌 활동성을 보였다. 이는 충동 조절, 보상처리, 중독과 관련된 인지 기능에 결정적 역할을 하는 대뇌 영역이다. 그런데 인터넷 게임에 과다하게 몰입할 경우 대뇌 포도당 대사 및 활동성과 연관되어 물질 남용, 행동중독 및 충동조절장애 등과 흡사한 뇌신경학적 기전을 보인 것이다.

우리는 왜 게임에 빠져드는가

이런 전문의들의 우려에도 불구하고 게임에 점점 몰입할 수밖에 없는 이유는 무엇일까? 그 답을 세 가지 차원에서 고려해볼 수 있다.

첫째, 게임을 하며 즉각적인 보상을 얻을 수 있다. 공부는 하룻저녁 열심히 한다고 해서 성과를 볼 수 있는 성격이 아니다. 운동, 미술, 음악 등 예술 활동도 마찬가지다. 원하는 결과물을 얻거나 성취감을 맛보려면 상당한 시일이 걸리고 엄청난 노력이 수반되어야 한다. 그러나 게임은 오래 기다릴 필요도 없고, 큰 노력을 들일 필요도 없다. 즉시 점수가 나오고 승패가 결정되며 레벨이 올라간다. 이런 즉각적인 보상은 게임의 매력이다. 한번 맛을 들이면 빠져나올 수 없는 이유다.

둘째, 게임을 통해 대리만족할 수 있다. 현실 세계는 제약이 많다. 안 되는 것, 하면 큰일 나는 것, 반드시 지켜야 하는 것들이 적지 않다. 할 수 있도록 허락된 것이나 꼭 해야만 하는 것들은 이루기 어렵고 실행하기 만만치 않다. 반면 게임의 세계에는 제약이 없다. 내가 하고 싶은 대로 하면 된다.

내가 원하는 모든 걸 대신해주는 아바타를 만들어 가상의 공간에서 나만의 제국을 만들 수 있다. 현실의 괴로움을 잊게 해주는 가상 세계에서의 대리만족은 치명적인 매력이 있다.

셋째, 게임을 모르면 또래 집단에서 소외된다. 청소년들은 학교에 가면 친구들과 게임을 주제로 대화를 나눈다. 어제 무슨 게임을 했는지, 새로 나온 게임은 무엇인지, 높은 점수를 받고 레벨을 올리려면 어떻게 해야 하는지 등에 관해 활발한 이야기들이 오간다. 공부만 열심히 하고 게임을 하지 않는 아이는 왕따가 되기 쉽다. 방과 후 친구들과 함께 피시방에 가서도 게임이 아니면 할 게 없다. 게임에 빠질 수밖에 없는 문화다.

게임 중독에 따른 또 하나의 문제는 도박이다. 게임을 오락으로 즐기는 단계를 넘어서면 돈을 걸고 즐기는 사행 단계로 넘어간다. 돈을 걸고 하는 게임이 더 짜릿하고 긴장감을 주기 때문이다. 크든 작든 돈은 따도 문제고 잃어도 문제다. 따면 따는 대로 잃으면 잃은 대로 점점 더 게임 중독의 블랙홀을 향해 질주하게 만든다. 청소년의 경우, 게임으로 잃은 돈을 충당할 길이 막막해지면 부모의 돈을 훔치거나 범죄의 유혹에 빠져들기 십상이다.

한국도박문제관리센터에 따르면, 청소년 도박 관련 상담 건수는 2014년 90여 건이던 것이 2019년에 이르러 1,500여 건에 달하면서 5년 만에 무려 15배 이상 증가한 것으로 나타났다. 이 중 상당수가 온라인 게임을 이용했으며, 사이버 도박에 따른 10대 피의자 수도 증가한 것으로 파악되었다. 청소년 사이버 도박 중독 사례가 급증하면서, 초등학생, 중학생, 고등학생을 대상으로 게임물 이용에 관한 교육을 주기적으로 실시해야 한다는 목소리가 높아지고 있다.

•— 게임 중독에 빠진 자녀에게는 문제적인 부모가 있다 —•

게임과 관련해 일어난 사고들이 언론에 보도된 적 있다. 피시방에서 20일 동안 컵라면만 먹으면서 인터넷 게임에 몰두하던 한 남성이 게임 도중에 사망한 사건, 아홉 시간 동안 집에서 혼자 인터넷 게임을 하던 고교생이 갑자기 사망한 사건, 게임 중독에 빠진 어떤 부부가 4개월 된 아이를 집에 혼자 두고 피시방에서 5시간가량 게임을 즐기는 사이 혼자 있던 아이가 이불에 질식해 사망한 사건 등이 잇따라 발생하면서 사람들을 충격에 몰아넣었다.

오랫동안 한 가지 자세로 움직임 없이 게임에 몰두하다 보면 혈류량이 현저히 떨어지고 대사 활동의 속도도 느려진다. 그러면 정맥 쪽 혈류량이 줄어듦으로써 혈전이 생긴다. 그 혈전이 주로 폐 쪽으로 가서 공기가 공급돼도 실어 나를 혈류가 없게 됨으로써 숨을 쉬지 못하는 현상이 벌어진다. 이를 좁은 비행기 안에서 장시간 움직이지 않고 앉아 있을 때 혈액순환이 되지 않아 생기는 현상, 즉 '이코노미클래스 증후군'이라고 한다. 뿐만 아니라 오랫동안 잠을 자지 않고 게임에 열중하느라 극도의 피로감과 긴장감, 승패에 따른 스트레스가 쌓이면 어느 순간 한꺼번에 폭발하면서 급사를 일으키는 원인이 될 수도 있다.

요즘은 공중파 방송에서도 새로 나온 게임 광고를 어렵지 않게 볼 수 있다. 게임 업체에서는 새로운 게임을 개발하고, 홍보하는 데 엄청난 돈을 투자한다. 게임 산업은 미래의 유망 산업으로 주목받고 있다. 지나치게 폭력적이고 선정적이고 사행심을 자극하는 게임만 아니라면 게임 자체에는 문제가 없다. 게임을 잠깐 즐기는 오락이 아닌 삶 자체로 여긴다든지, 자신의 정체성으로 혼동한다든지, 가상 세계와 현실 세계를 구분하지 못한다든지 하는 중독 상태가 문제인 것이다.

게임 중독에서 벗어나려면 어떻게 하는 것이 좋을까? 일단 게임 중독자가 왜 게임 중독에 빠질 수밖에 없었는지 근본적인 원인을 찾아 해결하려는 노력이 필요하다. 자녀들이 게임 중독 상태에 이르면 부모는 화부터 낸다.

"또 게임 했어? 엄마가 하라고 했어, 하지 말라고 했어?"

"하라는 공부는 안 하고 왜 매일 게임에 빠져 사는 거야? 커서 뭐가 되려고 그러니?"

이런 공격적인 으름장과 고압적인 태도는 게임 중독 문제를 해결하는 데 전혀 도움이 되지 않는다. 잔소리를 듣고 잘못을 뉘우친 뒤 게임을 멀리하는 자녀는 한 명도 없다. 부모 자식의 관계만 악화할 뿐이다.

게임 중독에 빠진 아이가 있다면 이는 역설적으로 부모의 문제다. 자녀에게 많은 사랑을 주지 않았거나 관심과 배려를 베풀지 않았거나 혼자 있도록 방치했기 때문에 아이가 살 길을 찾아 가상현실인 게임 속으로 들어간 것이다. 게임에서 빠져나오라고만 해서는 해결이 되지 않는다. 부부가 직장에 나가거나 생업으로 바쁠 경우, 결손 가정으로 부모 중 한 명이 없거나 조부모 밑에서 자라는 아이일 경우, 어른의 관심 영역에서 벗어나 홀로 방치될 가능성이 크다.

엄마 아빠가 없는 쓸쓸한 집에서 아이가 기댈 곳은 컴퓨터밖에 없었다는 걸 부모는 인식해야 한다. 아이를 책임지는 어른들이 사랑과 관심, 배려와 존중으로 아이와 함께하는 시간을 늘리고 대화를 자주 한다면 아이의 관심이 게임에서 더 따뜻하고 가치 있는 쪽으로 옮겨갈 것이다.

게임 중독에서 벗어나는 생활 수칙

부모와 자녀 간에 긴밀히 대화하고 토론해서 서로 동의하는 생활 계획표를 짜고, 이에 따라 게임할 수 있는 시간을 별도로 정하는 것도 게임 중독에서 벗어나는 데 도움이 될 수 있다. 하루 1시간에서 1시간 30분 정도가 적당하다. 아이가 어떤 게임을 하는지 부모가 알고 있어야 한다. 게임의 콘텐츠가 폭력적이고 선정적이며 사행심을 조장한다면, 자녀와 대화하며 건전한 게임을 할 수 있도록 유도해야 한다. 그러려면 부모도 자녀가 좋아하는 게임에 대해 미리 공부해서 알아두는 게 좋다.

컴퓨터를 거실로 옮기거나 아이가 게임을 할 때 방문을 열어두는 것도 좋은 방법이다. 단, 이를 부모가 일방적으로 윽박지르듯 강요하지 말고 아이와 대화해서 합의하고 실행하는 것이 바람직하다. 게임 중독자가 자녀가 아닌 배우자나 성인일 경우에도 같은 방법을 적용한다.

관심을 게임이 아닌 다른 데로 돌리는 것도 효과적이다. 등산, 낚시, 캠핑 등이 좋은 사례다. 애정은 함께하는 시간에 비례한다. 손을 잡고 산에 오르고, 같이 물고기를 잡아 매운탕을 끓여 먹고, 텐트 속에 누워 두런두런 이야기를 나누다 보면 정이 쌓인다. 기계와 대면해 자극적인 화면 속으로 빨려 들어가는 것보다 훨씬 더 인간다운 정서를 느낄 수 있다.

운동하거나 영화를 보거나 음악을 듣는 것도 게임과 거리를 두는 좋은 방법이다. 몸을 움직이면서 정신을 맑게 하면 골방에서 게임에 몰두하느라 피폐해진 몸과 마음에 새로운 활력을 줄 수도 있다. 첫술에 배부르지 않더라도 꾸준히 지속해서 관심사를 찾아 나가면 길이 보일 것이다.

2019년 제72차 세계보건기구WHO 총회에서 게임 중독을 질병으로 분류하기로 최종결정했다. 이에 따라 보건당국도 게임 중독을 질병으로 관리하기 위한 준비에 나설 방침이다. 세계보건기구는 게임 중독을 '다른 생활보다 게임을 우선시해 일상에서 부정적인 결과가 생겨도 게임을 계속하거나 오히려 더 하게 되는 경우'로 정의한다. 게임하는 행위를 통제하기 어려운 상황이 1년 이상 지속되면 게임 중독이 명확하지만, 증상이 심각하면 이보다 짧은 기간에도 중독 진단을 내릴 수도 있다.

게임 중독을 질병으로 규정하려면 의료계와 게임 업체들을 비롯한 관련 단체의 의견을 수렴해야 한다. 이 과정에서 진통이 있을 수는 있지만, 게임 중독을 질병으로 인식하고 관리해야 하는 건 시대적 흐름인 것만은 분명하다.

버는 돈보다 쓰는 돈이 많아요

빚 중독

"남편이 이혼을 요구해요. 어떻게 해야 할지 모르겠어요. 제가 돈 관리에 취약하거든요. 낭비하거나 허튼일을 하는 것도 아닌데, 생활비가 자꾸만 마이너스가 나요. 남편이 알면 야단이 날 테니 몰래 여러 군데서 카드론을 사용해 펑크 난 부분을 메우곤 했죠. 남편이 모르는 빚이 5,600만 원에 이르렀고, 그걸 남편이 알게 된 거죠. 어떡해야 좋을까요?"

진료받으러 내원한 50대 중년 부인이 말했다. 표정이 상당히 어둡고 심각했다. 난감한 일이었다. 살다 보면 빚을 질 수도 있지만, 문제는 아내가 남편 몰래 오랫동안 빚을 지고 있었다는 사실이다. 남편으로서는 배신감을 느낄 수밖에 없다.

단지 빚의 규모가 문제는 아니다. 새벽부터 밤중까지 밖에 나가 파김치가 되도록 일해서 돈을 벌어다 줬는데, 저축은 고사하고 큰 빚을 지고 있었다는 데 화가 나는 것이다. 겉으로 드러난 건 돈 문제였으나 근본적 원인은 마음의 문제였다. 부부 사이에 긴밀한 소통이 이루어지지 않았던 거다.

얼마 전에도 비슷한 일이 있었다. 30대 젊은 여성이었다. 공황장애로 3개월 넘게 상담과 약물치료를 이어가던 중이었다. 하루는 몹시 불편한 기색으로 쭈뼛거리다가 말을 꺼냈다.

"남편 때문에 힘들어 죽겠어요. 계속해서 주식을 해요. 주식에 대해 잘 알지도 못하면서 남들이 다 한다니까 따라 하는 거예요. 모아둔 돈 다 털어 넣더니 돈이 없으니까 대출받고, 대출도 막히니까 친구들한테 빌려서까지 주식에 목을 매더라고요. 월급쟁이 수입이 뻔한데, 둘이 맞벌이해서 이자 갚기도 버거울 지경이에요. 이건 투자가 아니라 도박이라고요. 곧 대박 날 거라고 말하지만, 이미 쪽박이에요."

무리하게 자금을 모아 투자하는 젊은 층을 흔히 '영끌족'

이라 한다. 한 푼 두 푼 월급을 모아 내 집을 마련하거나 여유 있는 노후를 설계하기 어려우니, 일확천금을 노리고 주식과 부동산에 투자하는 것이다. 그러나 이익을 얻는 사람보다 투자한 돈을 다 날린 채 감당할 수 없는 빚더미에 올라앉는 사람이 더 많다. 세계적인 경기 침체로 이와 같은 투자 실패 사례는 가파르게 증가하는 추세다.

빚으로 물든 대한민국

대한민국 서민들의 빚이 위험 수위를 넘고 있다. 코로나 사태와 경기 침체가 장기화하자 가계와 기업의 빚이 눈덩이처럼 불어난 것이다. 한국은행에 따르면 2020년 말 국내총생산GDP 대비 민간신용, 즉 가계와 기업의 부채잔액 비율이 215.5퍼센트로 추정된다. 이는 통계를 내기 시작한 1975년 이래 가장 높은 수치고, 전년 대비 증가 폭 또한 18.4퍼센트로 최대치다.

청년들은 취업이 어려워 빚지고, 중장년층은 수입이 줄어 빚지고, 중소기업과 자영업자는 경기가 악화해 빚지는 형편이다. 가계부채는 2020년 말 1,726조 1,000억 원으로 늘어났고, 기업부채 역시 2,153조 5,000억 원으로 증가했다.

이에 반해 가계와 기업 모두 빚을 갚을 능력은 현저히 떨어졌다. 저소득층이나 자영업자 그리고 영세한 기업일수록 빚을 갚지 못해 파산에 이를 가능성이 점점 커지고 있다. 자영업자의 매출은 2020년 1분기부터 4분기까지 계속해서 마이너스를 기록 중이다. 이 마이너스를 메우고 있는 게 바로 빚이다.

매출이 떨어지면 떨어질수록 대출은 가파르게 올라간다. 자영업자 가운데 빚을 감당하지 못하는 고위험군은 이미 19만 가구를 넘어섰다. 가진 재산을 다 처분해도 빚을 갚을 수 없는 가구를 고위험군으로 분류하는데, 이들이 진 빚만 76조 6,000억 원에 달한다. 기업도 상황은 비슷하다. 2020년 부도 위험이 큰 상환위험기업은 전체 기업의 6.9퍼센트였으며, 이들이 진 빚은 42조 원에 이르렀다. 살기 위해 어쩔 수 없이 빚을 졌다고는 하지만, 도저히 갚을 방법도 없고 능력도 되지 않는 개인과 자영업자와 영세기업들이 한계에 이르러 일시에 무너진다면 국가적 대재앙을 불러올 수도 있는 상황이다.

경제 대국인 이웃 나라 일본의 사정이 심상치 않다. 2020년 일본의 국내총생산 대비 국가부채 비율은 사상 최고인 266퍼센트에 달했다. 2019년까지 238퍼센트 수준이던 국가부채 비율이 코로나19에 대응하기 위한 확장재정 기조 속에 28퍼센트나 높아진 것이다. 1991년까지만 해도 일본의 국가부채 비율은 38퍼센트에 불과했다. 하지만 1990년대 이후 거품이 꺼진 데다 정권이 바뀔 때마다 무상복지정책을 남발한 탓에 국가부채가 빠르게 증가했다. 2020년 국채 이자를 갚는 데 들어간 돈만 23조 4,000억 엔, 즉 한화로 243조 원이었다. 우리나라 예산의 절반가량을 빚 이자로 허비한 것이다.

이것은 결코 남의 나라 일이 아니다. 우리나라의 미래가 될 가능성이 점차 커지고 있다. 만성적인 재정 적자에 시달리면서도 계속 빚을 내서 살림을 운용하는 데에 익숙해지면, 국가신용등급이 떨어지면서 가파르게 이자 부담이 증가하기 때문이다. 한국은 일본만큼 경제 구조가 튼튼하지 못함에도 부채 증가 속도는 훨씬 빠르다.

대한민국은 지금 개인도 기업도 정부도 빚의 늪 속으로 시나브로 빨려들어 가고 있다. 다시 말해 가랑비에 옷 젖듯 남의 돈을 무서워하지 않고 가져다 쓰다가 자신도 인식하지 못하는 사이에 빚에 중독되고 있다는 말이다. 예전 어른들은 빚이 얼마나 무서운 것인지를 잘 알기에 빚 얻어 쓰는 일을 극도로 경계했다. "외상이면 소도 잡아먹는다."라는 말은 그래서 생겨났다. 외상은 빚이다. 농경사회에서 소는 가장 큰 재산이자 먹고사는 일의 근간으로 농사에 없어서는 안 될 중심이었다. 그런 소를 잃는다는 건 생계 수단을 송두리째 잃는 것과 같았다. 빚을 지다 보면 목숨까지 위태로워질지 모른다는 따끔한 경고였다.

그런데 요즘 사람들은 빚을 두려워하지 않는다. 어찌 보면 빚 권하는 사회를 살아가는 듯하다. 대학생들은 비싼 등록금을 해결하기 위해 학자금 대출을 받는다. 졸업해 취직하면 몇 년 동안 월급 일부를 학자금 대출 상환에 쏟아부어야 한다. 독립하면 전세자금 대출로 집을 마련해야 하고, 결혼하면 신혼부부 대출로 내 집 마련의 꿈을 이루고자 한다. 이 돈을 다 갚지도 못해서 자녀들 학비에 부모님 노후 자금까지 보태야 한다.

그나마 억척같이 성실하게 산 사람이라야 50대쯤에 이르러 중산층의 삶을 누릴 수 있다. 만약 중간에 회사에서 쫓겨난다든지, 사업을 한다든지, 불확실한 투자에 몰두하면 빚의 굴레에서 벗어나지 못할 공산이 크다. 사회 안전망이 부실한 우리나라에서 과도한 빚은 불행한 노후를 낳을 뿐이다.

인생 역전의 꿈이 빚 중독으로 이어진다

최근 우연히 텔레비전을 보다가 깜짝 놀란 적 있다. 뉴스에 주식에 중독된 사람들의 인터뷰가 방영된 것이다. 큰 빚을 지고 마음이 불안해 일상생활이 힘든 사람들이라고 했다. 계속 손실을 보고 있지만 빚을 내서 주식에 올인하고 있는 사람들은 20대 청년, 30대 주부, 40대 자영업자 등 다양했다. 이들은 왜 한탕과 빚의 유혹에서 탈출하지 못하는 걸까?

자신의 경제적 수준과 능력을 벗어나 과도하게 주식이나 부동산 등에 집착하면서 일확천금을 노리는 심리는 우울증과도 관련이 있다. 남들은 다 많은 돈을 벌고 쉬운 방법으로 거액을 손에 넣는데, 나만 바보같이 쥐꼬리만 한 월급에 의지해 구질구질하게 사는 것 같은 착각이 들면서 불안하고 초조해지는 것이다. 도박은 불법이지만, 주식이나 부동산은 합법이기에 낙오하면 안 된다는 생각에 주저 없이 뛰어든다. 한번 맛을 들이면 수익을 내건 손실을 보건 간에 빠져나오기 힘들다. 온 신경이 그곳에 가 있어 업무 수행 능력이 현저히 떨어지면서 자기 효능감이 저하되어 우울증이 찾아오기도 한다.

한국도박문제관리센터에 따르면 2020년 한 해 동안 주식에 대한 병적인 몰입 때문에 센터를 방문한 사람은 1,732명으로 2018년 875명, 2019년 1,008명에 비해 큰 폭으로 늘어났다. 상담 건수도 56퍼센트나 증가했다고 한다. 상담자의 연령대도 20대와 30대의 증가 폭이 훨씬 빨랐다. 심지어 10대도 수십 명이나 있었다는 것이다.

사회병리 현상을 설명하는 심리학 용어 가운데 '포모증후군Fear Of Missing Out Syndrome'이 있다. 자신만 시대의 흐름을 놓치거나 공동체에서 소외되는 것 같은 불안감을 느끼는 증상이다. 위층에 사는 이웃이 가상화폐를 거래해 큰돈을 벌었다는 이야기를 듣거나 앞자리에 앉은 회사 동료가 주식으로 떼돈을 벌었다는 소식을 들으면, 다들 똑똑하게 시류를 파악해 부자가 되고 있는데, 자기만 멍청하게 손 놓고 있다가 거지가 될 것 같은 공포심을 느낀다. 이는 일종의 고립 공포감이다. 이럴 때는 빨리 기회를 잡지 않으면 영영 큰돈을 만져보기 어렵다는 절박한 심리가 발동한다. 빚을 내서라도 가상화폐, 주식, 부동산 등에 투자하고 싶어진다. 부자의 꿈을 향해 모두가 달음질하는 대열에서 낙오하고 싶지 않은 절박함이 마침내 현실을 외면하고 이성의 목소리에 귀를 막게 만든다.

빚 중독은 의학 용어가 아니다. 빚을 자꾸 지는 심리를 병리 현상으로 다루지는 않는다. 그러나 우리 삶 속에 깊숙이 들어와 있고, 생활에 지대한 영향을 미치는 현상이기 때문에 정신의학적으로 그 저변을 면밀하게 살피지 않을 수 없다. 다음과 같은 일들이 나에게 빈번히 일어나고 있다면 혹시 내가 빚에 중독돼 가고 있는 건 아닌지 점검할 필요가 있다.

1. 월급날이 다가오면 막아야 할 카드 대금과 갚아야 할 빚 때문에 불안하고 초조하다.
2. 월급이 통장에 들어오면 순식간에 여러 군데로 빠져나가고 다시 마이너스가 된다.
3. 이 카드에서 빚을 내 저 카드를 막고, 이 사람에게 돈을 꿔서 저 사람에게 갚는다.
4. 그렇게 하는데도 제날짜에 갚지 못한 빚과 이자 때문에 수시로 독촉 전화를 받는다.
5. 주택 등 부동산을 담보로 대출받아 쓴 일이 있다.
6. 매달 당면한 위기를 넘기는 데 급급할 뿐 빚 청산에 대한 계획이나 대책은 없다.
7. 배우자 또는 가족 간에 빚 문제로 다툼을 벌인다.
8. 아무리 벌어도 빚 갚고 이자 내고 생활하는 데 쓰면 남는

게 없다. 오히려 모자란다.

9. 모든 빚을 갚고 남들처럼 당당하게 살기 위해 빚을 내서라도 크게 한탕하고 싶다.
10. 주변 사람들이 돈을 빌리거나 보증을 서달랄까 봐 슬슬 피하는 기색이다.

빚은 마약과 같은 중독성을 지니고 있다. 처음에는 주저하다가 어쩔 수 없이 빚을 내지만, 반복하다 보면 망설임이 둔해진다. 제1금융권이 막히면 제2금융권, 제2금융권이 막히면 대부업체, 대부업체도 막히면 사채를 쓸 수밖에 없다. 갈수록 이자는 눈덩이처럼 불어난다. 실제로 케이블 텔레비전만 틀면 대부업체 광고가 마구 쏟아진다. 마치 돈을 거저 줄 것처럼, 누구에게나 적선을 베풀 듯 유명 연예인들이 출연해서 빨리 돈을 가져다 쓰라고 부추긴다.

이런 광고에 속아 대출을 받게 되면 그야말로 배보다 배꼽이 커지는 낭패를 겪게 된다. 마약 중독자들이 점점 더 짜릿하고 강렬한 약을 찾아 헤매듯 빚 중독자들은 점점 더 센 이자인 줄 뻔히 알면서도 좀 더 많은 돈을 꿔줄 대상을 찾아 헤맨다. 이렇게 살다 보면 스스로 벌지 않고 남의 돈을 빌려 사는 데 대해 죄책감이나 자괴감 같은 걸 상실하기에 이른다. 멀쩡한 대학을 나와 나이가 마흔 살이 지나 쉰 살이 넘어서도 일 안 하고 빈둥거리면서 부모 형제에게 돈을 빌려 사는 사람도 있다. 자존감이나 독립심 같은 건 잊고 산 지 오래다.

현실을 직시하고 철저하게 재정을 계획하라

빚 중독에 허덕이는 사람들에게는 과연 어떤 치료 방법이 있을까? 어떻게 해야 이들이 빚 중독의 치명적 늪에서 헤어나와 정상적인 일상생활과 경제활동으로 복귀할 수 있을까?

먼저 자신이 처한 상황과 현실을 냉철히 돌아보고 분석하는 일이 필요하다. 혼자서 할 수 없으면 전문가의 도움을 받아야 한다. 내가 누구이고, 무슨 일을 하고 있으며, 어떻게 살고 있는지, 그리고 내가 맞닥뜨리고 있는 문제가 무엇인지를 정확히 직면해야 한다. 과도한 빚은 가족 모두에게 영향을 끼치고 고통을 줄 가능성이 크므로 배우자나 다른 가족과의 동반 치료도 고려해야 한다. 한 사람의 빚 중독자는 주변 사람에게 줄줄이 피해를 줄 수 있다.

자칫 도저히 해결책이 보이지 않고 혼자서 감당할 수 없다는 절망감과 자책감 때문에 자해나 자살을 감행할 수도 있고, 폭력과 이혼으로 가정이 파괴될 수도 있으며, 무모하게 회삿돈이나 공금에 손을 댈 수도 있다. 이런 사고나 범죄를 예방하기 위해서라도 더 악화하기 전에 주변 사람이나 가족의 도움으로 정신건강의학과나 전문 기관 등을 찾아 구체적인 조력을 구해야 한다. 신용 불량자로 막다른 골목에 몰리면 정상적인 사고를 하기 힘들어진다.

경제 전문가를 통해 실질적인 경제 공부를 하는 게 좋다. 재산과 빚이 얼마인지 파악하고, 빚을 갚기 위한 계획과 대책을 치밀하게 세워야 한다. 제대로 된 경제 지식이 없는 까닭에 돈 관리를 잘하지 못하고 빚을 지는 경우가 많다. 투자와 투기는 종이 한 장 차이다. 정확한 경제 관념이 수립되면 내가 땀 흘려 번 돈이 내 것이고, 내 것이 아닌 건 쳐다봐서도 안 된다는 원칙이 세워질 것이다. 불로소득을 꿈꾸는 건 잘못된 환상이다.

우리는 자본주의 사회를 살고 있다. 성직자처럼 무소유를 삶의 원칙으로 삼고 살 수는 없다. 타인의 자본을 잘 활용해 사업을 하고, 기업을 성장시키고, 부를 일구어 재분배하는 것은 자본주의의 미덕이다. 내 돈만 가지고 모든 것을 다 할 수 없는 세상인 건 확실하다. 그러나 개인이든 기업이든 국가든 생산적인 일을 해서 돈을 벌고, 감당할 수 없는 빚은 지지 않으며, 불로소득이나 일확천금을 기대하는 불건전한 환상을 품지 않는 것도 자본주의의 미덕이다. 이것이 깨지거나 무너지면 자본주의는 빚의 굴레에 갇힌 비생산적 체제로 전락한다.

자본주의 국가의 표본인 미국 건국의 아버지 벤저민 프랭클린Benjamin Franklin은 이런 말을 남겼다. "돈을 빌리러 가는 것은 슬픔을 빌리러 가는 것이다."

수백 년 전 이야기라 요즘 현실에는 맞지 않다고 할지도 모른다. 하지만 참된 가치와 교훈을 담은 명언은 오랜 시간이 흘러도 여전히 유효한 법이다. 남의 돈으로 나의 행복을 살 수는 없다. 당대 계몽사상가 중 한 사람이기도 했던 프랭클린은 이런 말도 남겼다. "버는 것보다 적게 쓰는 법을 안다면 현자의 돌을 가진 것과 같다."

슬픔을 빌리러 다니느니 차라리 현자의 돌을 구하는 게 행복으로 가는 지름길이 아닐까.

Part 2

몸과 정신을 파괴하는 쾌락의 덫

술 없이 무슨 재미로 사나

알코올 중독

자동차 판매사원인 K 부장은 남다른 영업 감각을 가진 사람이다. 그와 한 번 상담한 고객은 차를 사지 않고는 못 배긴다. 그는 휴대전화기를 세 대나 가지고 다니는데, 입력된 고객들의 전화번호만 수천 개에 달한다. 올해의 대한민국 판매왕에 열 번이나 뽑혔다.

그의 놀라운 영업 비밀 중 한 가지가 바로 술이다. 그는 고객과의 술자리를 한 번도 마다한 적이 없다. 이미 차를 산 고객과의 술자리에서 앞으로 차를 살 고객을 만나는 경우가 많아 어느 술자리든 그를 부르면 예외 없이 달려간다. 그는 술을 좋아할뿐더러 주량도 대단하다.

이런 까닭에 K 부장은 퇴근하면 매일 술을 마신다. 몸이 안 좋거나 집안일로 다소 내키지 않을 때도 있지만, 직업이 직업이다 보니 어쩔 수 없다는 심정이다. 그러면서도 불쑥불쑥 돈을 좀 모으고 나면 술을 마시지 않아도 되는 직업을 갖고 싶다는 생각이 들곤 한다.

어쩌다 술 약속이 없어 일찍 귀가할 수 있는 날이면 한잔 생각이 간절하다. 술을 마시지 않아도 된다는 사실이 자신을 자꾸 불안하고 초조하게 만든다.

"오늘 내가 거하게 살 테니까 다들 한잔 어때?"

그의 술 실력을 알기에 동료나 후배들은 못 들은 척 외면하거나 다른 핑계를 대고 영업소를 빠져나간다. 홀로 남은 그의 가슴이 쿵덕쿵덕 뛴다. 손까지 떨리는 것 같다. 혼자서라도 술집으로 가야 할지, 아니면 포기하고 일찍 집으로 들어갈지 고민이지만 선택이 쉽지 않다.

K 부장은 아내의 강력한 권유로 정신건강의학과 전문의를 찾아가 상담했다. 진료 결과 그는 알코올 중독이었다. 처음에는 직업 때문에 어쩔 수 없이 술을 마시게 되었지만, 차츰 술자리에 익숙해지면서 스스로 술자리를 만들거나 주도

하게 되었고, 이제는 술자리가 없는 저녁 시간은 상상할 수도 없게 된 것이다. 사회생활이 그를 술독에 빠뜨린 셈이다.

술 권하는 대한민국

과거 우리 조상들은 음주와 가무를 즐겼다. 그래서 그런지 현대사회를 사는 후손들도 술 마시는 걸 즐긴다. 직장인들은 회식이 잦다 보니 본의 아니게 마실 때도 있지만, 별 약속이 없는 데도 퇴근 시간만 되면 괜스레 술 한잔 생각이 나고, 그런 날이면 어김없이 술자리가 마련된다.

일제강점기인 1921년 현진건은 〈술 권하는 사회〉라는 단편소설을 발표했다. 자신의 이야기기도 한 소설에서 작가는 매일 술을 벗 삼아 고주망태가 되어 집에 들어가는 주인공이 그렇게 술을 마실 수밖에 없는 이유가 바로 우리 사회가 술을 권하는 사회라서 그렇다고 강변한다. 나약한 지식인의 허튼 변명으로 들리기도 하지만 그만큼 당시 술 인심은 후했다.

기뻐서 한잔, 슬퍼서 한잔, 기분 좋아 한잔, 기분 나빠 한

잔……. 퇴근길 술 한잔이 종일 치이고 시달린 직장인들의 고단함과 쌓인 시름을 가뿐히 덜어줄 것 같지만 실상은 그렇지 않다. 스트레스를 날려주는 게 아니라 오히려 건강을 해치고 생활 리듬을 깨뜨릴 뿐이다.

세계보건기구에 따르면, 흡연에 의한 사망자 수보다도 음주에 의한 사망자 수가 더 많다. 흡연으로 인한 사망과 장애가 2.7퍼센트인 반면, 음주로 인한 사망과 장애는 3.5퍼센트에 달한다. 음주의 해악이 강조되면서 선진국들의 알코올 섭취량은 점점 감소하는 추세다.

그러나 우리나라의 경우 알코올 섭취량이 갈수록 증가 추세를 보인다. 15세 이상 인구 1인당 알코올 소비량이 14.8리터로 세계보건기구 회원국 중 13위를 차지한다. 도수가 높은 증류주만 놓고 봤을 때는 단연 세계 1위다. 예나 지금이나 술 권하는 사회가 맞는 듯하다.

인간의 뇌 속에는 생존이나 종족 보존에 필요한 조건이 충족되었을 때 쾌락을 느끼는 부분이 있다. 복측피개 영역Ventral Tegmental Area, VTA과 측좌핵Nucleus Accumbens, NAC이라는 부위인데, VTA가 자극받으면 도파민이 분비되어 NAC에서 마약성 진통제인 오피오이드와 유사한 물질이 분비됨으로써 비정상적인 쾌락을 유발한다. 한 번 쾌락을 맛본 뒤에는 계속해서 음주에 대한 갈망을 일으키며, 그만 마시고자 하는 이성적 판단과 조절 능력이 자꾸 사그라지도록 만든다.

한편 알코올 중독 환자의 가까운 가족에게서 비슷한 문제가 발생할 가능성이 크고, 쌍생아 연구에서 이란성에 비해 일란성이 일치율이 훨씬 높으며, 알코올 사용 장애의 60퍼센트를 유전적 요인으로, 나머지 40퍼센트를 환경적 요인으로 평가하는 연구 결과가 나온 것으로 봤을 때 유전도 원인이 될 수 있다. 아울러 우울증, 열등감, 불안감 등을 알코올에 의존해서 해소하려는 심리적 요인도 알코올 중독의 원인으로 작용한다.

알코올 중독에는 내성과 금단 증상이 있다. K 부장처럼 자주 마시면 주량이 늘어나면서 더 독한 술을 찾게 되고, 금주를 결심하거나 술을 마시지 않게 되면 가슴이 뛰고 손이 떨리는 증상부터 혈압 상승, 호흡 증가, 경련이나 발작 심지어 섬망 증세까지 나타날 수 있다.

알코올 중독의 초기 증상으로 잘 알려진 것은 '단기 기억 상실Black-Out'이다. 술을 많이 마시고 난 뒤 기억이 단절되는 증상으로 이른바 필름이 끊기는 현상이다. 만취해 택시를 타고 집에 들어와 샤워한 후 잠자리에 들었는데, 이튿날 깨어 보니 전날 일이 전혀 기억나지 않는다. 과음한 사람 중 절반 이상이 블랙아웃을 경험했다고 한다. 과음한 뒤 블랙아웃 현상이 자꾸 반복되다 보면 인지 기능이 영구히 손상되는 알코올성 치매로 이어질 수도 있다.

알코올 중독에서 벗어나려면

흡연자들이 금연에 성공하기도 하지만 다시 흡연을 시도하는 악순환이 반복될 수 있듯, 알코올 중독자들 역시 금주에 성공할 때도 있지만 또 음주의 늪에 빠져들 수 있다. 알코올 중독에서 벗어나려면 다음과 같이 상담과 약물치료를 병행해야 한다.

첫째, 술을 끊고 정상적 생활을 회복하고자 하는 본인의 자발적 의지를 유도하는 동기 강화 치료다. 자신의 문제를 정확히 인식하고 해결하려는 동기를 발견하는 것이다.

둘째, 음주와 연관된 사고와 행동 패턴의 변화를 유도하는 인지행동치료가 도움이 될 수 있다. 음주 문제를 지속시키는 생각과 행동에 초점을 맞추고, 술 대신 음악을 듣거나 영화를 보는 등 좀 더 건전한 방식으로 대처하는 방법을 익혀 보는 것이다.

셋째, 환자에 대한 개인 상담과 별도로 가족에 대한 상담 치료를 진행한다. 알코올 중독자의 가족은 부부 갈등, 가정 폭력, 자녀 갈등의 문제로 우울증 등에 시달리기 때문이다.

넷째, 약물을 사용한 치료다. 날트렉손과 아캄프로세이트라는 약물은 자꾸만 술을 마시고 싶게끔 갈망을 유발하는 뇌의 신경 부위에 직접 작용하여 이러한 갈망을 누그러뜨린다.

다섯째, 알코올 중독자들은 대부분 비타민 B1 결핍증을 겪게 되므로 부족한 영양을 충분히 보충해준다. 비타민 B1 결핍증은 기억력 저하, 걸음걸이 이상, 뇌 손상 등을 일으킨다.

제2차 세계대전을 승리로 이끈 윈스턴 처칠은 대단한 애주가였다. 그는 이런 말을 했다. "술이 내게서 앗아간 것보다, 내가 술로부터 얻은 것이 더 많다."

하지만 그의 말만 기억해서는 안 된다. 오래전부터 프랑스에는 이런 격언이 전해져 온다. "악마가 사람을 찾아다니다가 바쁠 때는 자신을 대신해서 술을 보낸다."

술은 인간이 만들었다. 인간이 즐기기 위해 고안한 음료

일 뿐이다. 거기에 지배당해 돈과 시간과 건강을 잃고 급기야 직업과 가족까지 잃는다면, 이보다 더 어리석은 일이 있겠는가?

아름다움이 나를 멸시한다

성형 중독

아름다운 외모를 가진 여성이 있었다. 항상 당당하고 자신감이 넘쳤던 그녀는 가수가 꿈이었다. 20대 초반부터 밤무대 가수로 활동을 시작했다. 알아주는 사람 하나 없는 무명 가수였지만, 언젠가 화려한 조명 속에 박수갈채를 받을 날이 오리라 믿으며 꿈을 키워갔다.

그러던 중 누군가로부터 솔깃한 제안을 받았다. 싼값에 얼굴을 예쁘게 고쳐주는 곳이 있으니 가보지 않겠느냐는 것이었다. 가수로 성공하려면 성형해서 뛰어난 외모를 갖추는 건 기본이라고 했다. 그렇지 않아도 사각턱이 불만이었던 그녀는 불법 성형시술소를 찾아 나섰다. 그곳에서 그녀는 얼굴에 실리콘을 주입했다. 최고의 가수가 되기 위해서였다.

그러나 결과는 만족스럽지 않았다. 그녀는 조금만 더 노력하면 예뻐질 수 있다는 생각에 불법 성형시술소를 들락거리며 성형을 거듭했다. 나중에는 얼굴에 칼을 대는 것도 모자라 자신이 직접 턱에 콩기름, 파라핀, 공업용 실리콘 등을 주입하기까지 했다.

어느 날 아침, 거울을 들여다본 그녀는 소스라치게 놀랐다. 거울 속에 웬 마녀 한 사람이 있었기 때문이다. 해괴망측하게 일그러진 마녀 얼굴은 바로 자기 자신이었다. 성형 부작용으로 보통 크기의 세 배가 넘게 부풀어 오른 얼굴은 차마 눈 뜨고 볼 수 없을 지경이었다. 현실을 도저히 받아들일 수 없었던 그녀는 이후 병적으로 성형에 집착하기에 이르렀다. 수시로 "넣어라!"라는 환청이 그녀를 괴롭혔고, 그때마다 불법시술을 시도했다.

자기 외모에 대한 지나친 비관과 잦은 성형이 다람쥐 쳇바퀴 돌 듯 반복되면서 그녀는 우울증 등 각종 정신질환에도 시달렸다. 뒤늦게 잘못을 뉘우치고 여러 번 이물질 제거 수술을 받으며 재활 치료와 정신과 치료를 시작했지만, 돌이키기에는 너무 늦은 상태였다. 그녀는 결국 2018년 세밑, 57세를 일기로 쓸쓸히 숨을 거두고 말았다. 가공해낸 웹툰이나 영화 속 이야기가 아니다. 방송에 여러 차례 출연하면서 '선풍기 아줌마'라는 별칭으로 널리 알려졌던 한혜경 씨의 실제 인생 이야기다. 그녀의 가학적인 성형 경험담과 처참하게 일그러진 외모는 사람들에게 큰 충격을 던져준 바 있다.

자존감을 높이기 위해 성형수술을 한다?

성형 중독Cosmetic Surgery Addiction이란 남들이 뭐라고 하던 자기 외모에 늘 불만을 품고 성형수술을 거듭하며 의존하지만, 자족이나 만족을 모르는 병적인 상태를 일컫는다. 이에 따른 육체적 정신적 피해와 후유증은 상상 이상으로 엄청나다. 이만하면 됐다는 목표 지점이 없거나 수시로 바뀌는 까닭에 자학에 빠져 극단적 선택을 하기도 한다.

사람의 신체나 얼굴을 외형적으로 수정하는 수술을 가리키는 성형수술成形手術은 외상이나 기형 등의 문제를 해결하기 위한 재건성형과 미용을 목적으로 이루어지는 미용성형으로 나뉜다. 본래 성형수술Plastic Surgery은 재건성형을 가리키는 말이었다. 성형수술의 역사는 인류의 역사만큼 길다. 기원전 인도나 이집트 등에서 성형수술이 이루어졌다는 기록이 있을 정도다. 제1차 세계대전 이후에도 대부분 부상한 병사들의 재활을 목적으로 하는 성형수술이 시행되었다.

이후 의학 기술이 발달하면서 미용성형Cosmetic Surgery이 성형수술의 중심으로 자리하게 되었다. 좀 더 아름답고 멋지게 보이고 싶은 건 남녀노소를 가리지 않는 인간의 기본적인 욕구지만, 과학과 의술의 발전이 인간의 과도한 욕망과 결합하면서 미용성형은 거대한 산업으로 성장했고, 이에 따른 부작용 또한 만만치 않게 양산되었다.

성형 중독에까지 이르는 정신장애를 정신건강의학과에서는 신체이형장애Body Dysmorphic Disorder라고 부른다. 실제로는 외모에 별다른 결점이 없거나 그리 크지 않은 사소한 결점이 있음에도 불구하고, 자기 외모에 심각한 결함이 있다는 생각에 강박적으로 집착하는 질병이다. 신체이형장애 환자들은 성형수술에 중독되기 쉽다. 소문을 듣고 찾아간 병원에서 수술 결과가 마음에 들지 않으면 또 다른 사람 말을 듣고 더 잘한다는 의사가 있는 병원을 찾아다니지만, 궁극적인 만족감은 얻기 어렵다.

한편 기분장애의 유병률도 성형수술을 받는 사람에게서 높게 나타난다. 최근 한 연구에 따르면, 약 44퍼센트의 환자가 우울장애 혹은 불안장애를 앓는 것으로 나타났는데, 두 질환 모두 자존감 저하나 낮은 신체 이미지 만족감과 연관이 있다. 적절한 공감을 하지 못하고 맹목적으로 타인에게 인정받기를 원하는 자기애성 인격장애, 타인의 관심을 끌 필요가 있는 연극성 인격장애와 같은 몇몇 인격장애들도 성형수술을 추구하는 요인으로 알려져 있다.

우리 주변에서도 이런 사람을 심심치 않게 볼 수 있다. 눈이 초롱초롱하고 예쁜데도 자꾸만 쌍꺼풀 수술이나 눈을 커 보이게 만드는 수술을 하고 싶다는 사람도 있고, 코가 퍽 잘생겼음에도 더 오뚝하게 세우려는 사람도 있으며, 턱선이 갸름한데도 각이 졌다면서 계속 깎으려 애쓰는 사람도 있다. 괜찮다고, 예쁘다고 아무리 말해 봐야 곧이들으려 하질 않는다.

통계에 의하면 전 세계 인구의 약 2퍼센트가 신체이형장애를 앓고 있다고 한다. 이들은 자신의 외모 때문에 자존감이 땅에 떨어진 사람들이다. 그렇다면 이런 사람들이 성형수술을 통해 자신이 그토록 원하던 아름답고 멋진 얼굴을 갖게 되면 자존감이 올라갈 수 있을까?

성형외과 전문의들은 성형수술로 외모를 바꾸는 것과 자기 내면의 자존감이 올라가는 것은 별개의 문제라고 선을 긋는다. 자존감을 살리기 위해서 성형수술을 하는 것은 목적이 뒤바뀐 거라는 이야기다. 눈이 좀 커지면 좋겠다는 마음으로 수술한다면 눈이 커지는 데 만족해야지 눈이 커짐으로써 자존감이 높아지느냐 마느냐는 또 다른 문제인 것이다. 눈이 작아서 고민하던 사람이 눈이 커졌다고 해서 반드시 자존감이 높아지리라는 보장은 없다. 만약 눈이 커졌는데도 자존감이 높아지지 않는다면 다시 코, 입 등 다른 부위의 수술을 하려고 든다는 말이다.

자존감은 마음의 문제이고, 성형수술은 외모의 문제다. 외형을 바꿈으로써 콤플렉스를 극복하고 자존감을 회복한다면 그것은 부차적으로 발생하는 효과일 뿐이다. 외모에 대한 불만족의 정도는 성형수술의 필수조건이다. 그러나 성형수술이 개인의 정신건강에 미치는 영향을 고려해서 신중하게 결정해야 할 부분이다.

완벽하지 않아도 괜찮아

2006년에 개봉했던 〈미녀는 괴로워〉라는 영화가 있다. 배우 김아중과 주진모가 열연하며 한국 로맨틱 코미디의 역사를 새로 썼다고 평가되는 이 작품의 줄거리는 이렇다.

인기 가수 아미를 대신해 노래를 불러주는 얼굴 없는 가수 한나는 몸무게 95킬로그램의 뚱뚱하고 못생긴 여자다. 천상의 목소리를 가졌으나 사람들 앞에 나설 수가 없다. 자신의 음악성을 인정해준 음반 프로듀서 한상준을 남몰래 사랑하지만, 결코 이루어질 수 없는 상상 속 로망일 뿐이다. 매번 짝사랑하는 남자에게 상처받고 자살까지 생각하던 그녀는 목숨을 건 성형수술을 감행해 미녀가 될 것을 결심한다. 기적 같은 수술 성공으로 48킬로그램의 절세 미녀로 재탄생한 그녀는 이름을 제니로 바꾸고 가요계에 혜성처럼 등장해 최고의 인기를 누린다.

그런데 뭇 남성의 환호를 받으며 성공을 거머쥔 제니는 행복했을까? 자존감이 최고조에 달했을까? 그렇지 않다. 미녀가 된 제니의 앞길에 꽃길만 펼쳐진 게 아니었다. 한나로 산 시절 맺었던 인간관계가 모두 헝클어졌으며, 자신의 과거가 탄로 날까 봐 매 순간 불안과 스트레스에 시달려야만 했다. 멋지고 화려한 겉모습이 행복과 자존감을 보장해주는 건 아니다.

성형 중독은 완벽주의를 지향하는 마음에서 기인한다. 그러나 완벽한 아름다움이란 애초에 불가능한 것이다. 지구 위에 살아 있는 수십억 명의 사람 중 나와 똑같은 외모와 정신세계를 가진 사람은 단 한 사람도 없다. 나는 나로서만이 최고의 존재 가치를 지닌다. 성형 중독에 빠져 자신을 끝없이 뜯어고치려는 것은 또 다른 이름의 자기 파괴다. 고유한 나의 외모와 내면을 온전히 사랑하고 존중하고 아끼는 것이야말로 자존감을 제대로 세우기 위한 첫걸음이다. 외모에 불만을 품고 걱정하며 자책하느라 시간을 허비한다면 잘못된 집착으로 인해 사회적, 직업적, 가정적 고통과 손상만 초래할 뿐이다. 나는 나일 때 비로소 아름답다.

몇 년 전 화제가 된 영상이 있다. 영상 속 한 소녀가 정성스럽게 화장하며 밝은 표정을 짓는다. 영국 브래드퍼드에 사는 올해 열아홉 살의 알리마 알리Aleema Ali다. 또래 친구들처럼 메이크업 재미에 푹 빠져 있는 알리는 몇 해 전 얼굴을 포함해 전신 절반에 3도 화상을 입는 사고를 당했다.

학교 기숙사에 머물다 집에 온 알리는 머리에서 머릿니를 발견했다. 알리는 이를 없애기 위해 이 제거용 샴푸를 머리에 발랐다. 5분 정도 후 머리를 헹궈야 했던 알리는 기다리는 동안 집안일을 돕고 싶었다. 엄마가 요리하는 사이 알리는 쓰레기통을 비우려고 부엌으로 갔다. 알리가 가스레인지 옆을 지나는 순간 알리의 머리 전체에 불이 붙었다. 샴푸에 강력한 가연성 물질이 포함돼 있었기 때문이다.

알리의 얼굴과 몸 전체로 불길이 번졌다. 알리는 10여 분 뒤 병원 중환자실로 이송되었다. 알리는 두 달 만에 혼수상태에서 깨어났지만, 얼굴과 머리 등 절반이 넘는 전신에 3도 화상을 입었다. 손가락 일곱 개를 잃었고, 남은 손가락 세 개 중 두 개는 쓸 수 없었다. 알리는 수년간 길고 고통스러운 치료 과정을 거치며 수백 번의 수술을 받았다. 지금도 화상 상처가 부풀지 않게 압박복을 입고, 약물치료를 받고 있다.

불행의 낭떠러지로 굴러떨어진 것 같았던 알리에게 기적이 일어났다. 병원에서 다시 나기는 어려울 것이라 했던 알리의 머리카락이 하나둘 자라나기 시작하더니 이제는 풍성한 모발을 갖게 된 것이다. 알리는 너무 행복하고 즐거워 메이크업 영상을 만들어 친구들과 공유했다. 알리가 올린 동영상 앱 틱톡의 팔로워는 약 25만 명에 이르고, 메이크업 영상은 조회 수 1,640만 회를 기록했다. 알리는 해맑게 웃으면서 이렇게 말한다.

"화상이 저를 더 나은 사람으로 만들었어요. 내면적으로 저는 완전히 괜찮아요. 예전보다 훨씬 더 자신감과 자기애와 용기를 갖게 됐어요."

알리의 말속에서 우리는 진정한 아름다움이 무엇인지, 제대로 된 자존감이 무엇인지를 알 수 있다. 행복은 내 얼굴이나 외모에 달린 게 아니라 내 마음에 달려 있다는 것도.

"세상 사람들은 겉모양이 아름답다고 느껴지는 것을 아름다움이라고 알고들 있는데, 이것은 잘못된 것이다天下皆知美之爲美 斯惡已." 중국 고대 사상가인 노자老子는 이렇게 말했다. 노자에 따르면, 아름다움과 추함은 모두 상대적이다. 시간과 공간을 초월해서 절대적으로 존재하는 아름다움이란 없다. 무엇이 아름답다 추하다 느끼는 것은 순전히 주관적 판단이다.

그의 제자인 장자莊子 역시 이런 말을 남겼다. "자연 그대로의 소박함을 지키면 천하에서 아무도 그와 아름다움을 다툴 수 없을 것이다樸素而天下 莫能與之爭美."

수천 년 전 성현의 말씀이 이토록 가슴에 진하게 와닿는 시대를 우리는 살아가고 있다.

강력한 한방으로
인생 역전을 꿈꾼다면

도박 중독

"친구가 사이트를 알려줘서 도박이란 걸 처음 해봤는데, 지금까지 애써 모은 돈 50만 원을 잃었습니다. 너무 무섭고 두렵습니다."
"오늘 낮에 친구가 도박사이트 한 곳을 알려줬습니다. 순식간에 친구 돈까지 4만 원을 잃었습니다. 그런데 또 하고 싶더라고요. 이번에는 5만 원을 땄습니다. 계속하고 싶네요."
"스무 살 남자입니다. 현재 무직이고 아버지 도와드리면서 조금씩 용돈을 벌고 있습니다. 3년 전부터 도박을 했는데…… 끊어야지 하다가도 돈이 생기면 바로 도박을 하게 됩니다."

도박 중독과 관련한 온라인 카페에 올라온 10대 청소년들의 상담 요청 글이다. 카페에는 도박을 끊지 못해 고민 중인 20대 청년들의 사연도 많이 올라와 있다. 학업에 매진해야 할 10대와 인생 항로를 결정해야 할 20대 청춘들이 도박으로 몸살을 앓고 있다. 코로나 사태로 학교에 가지 않고 인터넷을 할 시간이 늘어나면서 더 심각해졌다.

얼마 전만 해도 도박은 부자나 연예인이 주로 하는 것으로 알려져 있었다. 간혹 철없는 어른이 카지노나 성인 오락실 등을 전전하며 암암리에 하는 것으로도 인식되었다. 그러나 요즘은 중고등학생과 청년 대학생 사이에서 도박이 전염병처럼 번져 나가고 있다.

도박, 오래된 쾌락 추구의 도구

최근 한 라디오 방송 프로그램에 출연한 문화체육관광부 산하 공공기관인 한국도박문제관리센터 박애란 예방 부장은 우리나라 도박 중독 실태에 대해 충격적인 이야기를 들려주었다.

"한국도박문제관리센터에서는 2015년과 2018년에 청소년 도박에 관한 실태 조사를 했습니다. 선별 척도를 갖고 적용했는데요. 조사 결과는 비문제군, 문제군, 위험군으로 구분해서 그린, 옐로, 레드로 나눕니다. 레드와 옐로를 합쳐서 우리가 '위험집단'이라고 하죠. 심각한 위험집단의 경우, 2018년 기준으로 전체 청소년의 1.5퍼센트가량 됩니다. 숫자로는 3만 4,000명 정도죠. 이들은 게임 안에 있는 사행성 요소, 즉 도박에 노출되면서 자기 조절에 실패하는 아이들입니다. 온종일 도박에 빠져 살기 때문에 심리적으로나 사회적으로 상당한 폐해 요소가 나타나는 집단입니다."

부모는 아이가 방에 들어가 컴퓨터 앞에 앉아 있거나 스마트폰으로 인터넷 강의를 듣고 있으면 열심히 공부하는 줄 알고 안심한다. 하지만 도박 중독에 빠진 아이는 컴퓨터나 스마트폰을 이용해 손쉽게 도박사이트에 접근한 뒤, 사행의 늪 속에 빠져들고 있었다.

"부모님들이 잘 모르세요. 불법 도박사이트도 있지만, 어떻게 하면 도박을 잘할 수 있는지 가르쳐주는 플랫폼도 있어요. 그 플랫폼에 도표나 숫자가 많이 나오니까 부모님들은 우리 아들딸이 수학 공부하고 있구나, 이렇게 알고 계시는 거죠. 선생님들도 '아니, 그게 도박이었어요?'라고 물으세요. 그래서 법에 저촉된다든지, 폭력과 연결된다는 것을 알게 되었을 때 '도박 자금을 마련하려고 그런 거였구나' 하고 깨닫는 거죠. 지금 현실이 그래요."

도박賭博, Gambling은 '금품을 걸고 승부를 다투는 일'을 말한다. '내기' 또는 '노름'이라고도 한다. 도박의 역사는 인류의 역사만큼이나 오래되었다. 이는 인간의 본성에 우연과 요행을 바라는 심리가 있다는 것을 의미한다. 도박은 흔히 호기심으로 시작하지만, 습관화되면 여간해서 빠져나오기 힘든 쾌락 추구의 도구로 발전한다. 돈을 잃든 따든 따지지 않고 도박이 주는 짜릿한 쾌감에 빠져드는 것이다. 인류의 역사가 도박의 역사와 궤를 같이하는 건 이런 이유에서다.

지금도 합법이냐 불법이냐의 차이만 있을 뿐 세계 어디를 가든 도박의 유혹은 널려 있다. 민속 오락으로 여겨지는 윷놀이에서부터 정신 스포츠로 분류되는 바둑, 격렬한 경기인 경마, 전 세계인이 즐기는 축구, 신사 스포츠로 일컬어지는 골프에 이르기까지 도박의 대상이 되는 행위는 무궁무진하다. 돈이나 가치 있는 소유물을 걸고 결과가 불확실한 사건에 내기를 거는 행위 전체를 도박으로 볼 수 있기 때문이다.

국가가 특정 공간이나 지역을 지정해 아예 공식적으로 도박을 허용하기도 한다. 미국에는 라스베이거스가 있고, 우리나라에는 정선이 있다. 4년마다 월드컵이 열릴 때면 우승 국가를 알아맞히기 위해 커다란 도박판이 벌어진다. 특정 국가의 대통령 선거 때도 당선자를 알아맞히기 위한 도박이 판을 친다.

하지만 어디까지가 합법이고 어디서부터가 불법인지는 모호하기 이를 데 없다. 법적 기준도 나라마다 다르다. 국가에서 운영하는 각종 복권이나, 자본주의에서 기업 가치를 평가하는 척도로 여겨지는 증권도 알고 보면 인간 내면에 사행심리가 깔려 있기에 존재 가능하다.

도박은 잘못 빠져들면 경제적으로 심한 어려움을 겪게 된다. 모아둔 돈을 다 날리면 여기저기 돈을 빌려야 하고, 월급을 압류당해 신용 불량자가 되기도 하며, 회사 공금을 유용하거나 범죄에 가담해 전과자가 되기도 한다. 또 가정이 파괴되는 비극도 빈번하게 일어난다. 순간의 유혹을 물리치지 못한 자신을 책망하며 반드시 끊어야겠다고 다짐하지만 아무리 애를 써도 번번이 실패하고, 나도 모르게 발길은 또다시 도박장으로 향한다.

과연 나는 도박 중독자일까?

이런 도박의 위험성은 소설과 영화의 소재로도 많이 다루어졌기에 보통의 상식을 가진 사람이라면 누구나 알고 있는 사실이다. 그런데도 왜 사람들은 쉽게 도박에 빠져드는 걸까?

먼저 중독으로서의 도박과 여가로서의 오락을 구분하지 못하기 때문이다. 처음에는 도박을 오락이라 생각하고 단순하게 접근한다. 그러다가 내면의 욕구와 맞닥뜨리게 된다. 욕구는 충동을 부르고, 충동은 중독을 부른다. 쉽게 큰돈을 벌고 싶은 욕구, 잃은 돈을 만회하고 싶은 욕구, 짜릿한 쾌감을 맛보고 싶은 욕구, 우울감이나 스트레스를 떨쳐버리고 싶은 욕구, 직장 동료나 친구들과 친목을 도모하려는 욕구 등이 도박을 부추기는 요인이다.

도박 중독Gambling Addiction이란 도박으로 인해 가족뿐 아니라 대인관계 전반에 갈등이 발생하고, 일상생활을 유지하기 어려울 정도로 재정적 · 사회적 · 법적 문제가 발생하고 있음에도, 자신의 의지만으로는 도박행위를 조절하지 못해 계속해서 도박에 빠져드는 것을 말한다.

도박에 중독된 사람들에게서는 다음과 같은 정서적 특징

이 나타난다.

1. 도박을 중단하면 안절부절못하거나 불안해한다.
2. 도박을 중단하면 상실감이나 공허감을 느낀다.
3. 도박의 결과로 매우 극단적인 감정변화 예컨대, 천국과 지옥을 오가는 느낌을 경험한다.
4. 분노, 불안, 우울 등 부정적 감정이나 개인적인 문제에서 벗어나기 위해 도박을 한다.
5. 도박 행동이나 도박으로 인한 결과 때문에 죄책감과 수치심을 느낀다.

도박 중독이 정신의학 또는 심리학 관련 학술지에서 공식적으로 인정받게 된 것은 1980년 미국정신의학회가 발간한 《정신질환 진단 및 통계 편람DSM-III》에 이름을 올리고 나서부터였다. 미국의 경우 유병률은 1.2~1.5퍼센트로 전체인구로 환산하면 250~300만 명이 도박 중독에 이른 것으로 볼 수 있다. 우리나라는 도박 중독에 해당하는 사람이 얼마나 될까?

정신건강의학과 교수들로 구성된 '중독 없는 세상을 위한

다학제적 연구 네트워크 중독포럼'에 따르면, 한국의 도박 중독 환자는 약 220만 명으로 추산된다. 이로 인한 사회적 비용 또한 78조 2천억 원에 달하는 엄청난 규모라고 한다. 도박 중독의 위험요인 중에 특히 자살의 위험성이 높았다. 강원도 정선에 강원랜드가 들어선 이후 강원도의 자살률이 다른 지역에 비해 높게 나타났다는 것이다. 지난 2011년 강원도 자살률은 인구 10만 명당 45.2명이었지만, 카지노 시설이 들어선 정선군은 인구 10만 명당 55.4명으로 조사되었다.

도박 중독에서 벗어나는 길

도박 중독을 치료하는 방법으로는 여섯 가지가 있다. 첫째는 인지행동치료다. 도박 중독 행동을 지속시키는 왜곡된 생각과 행동이 변화하도록 돕는 치료 기법이다. 도박에 대한 인지 왜곡을 식별하고, 도박 중단으로 인한 긍정적인 결과와 도박 지속으로 인한 부정적인 결과를 이해하는 과정을 포함한다. 도박으로 얻는 만족감이 부정적인 결과와 절대로 비교할 수 없다는 사실을 이해하도록 돕고, 도박 행위를 유도하는 감정과 생각과 상황을 파악해 스스로 끊을 수 있도록 도와준다.

둘째는 동기 강화 치료다. 습관을 변화시키는 것에 대한 두려움을 받아들이고, 자기 내면에서 일어나는 양가감정의 대립을 스스로 발견해 나갈 수 있도록 한다. 이미 환자가 가지고 있는 변화 동기를 강화함으로써 최종적으로 행동을 변화시키는 데 목적이 있다.

셋째는 재정과 법률 상담이다. 도박 문제는 심각한 경제적 피해와 법적인 문제를 일으키는 까닭에 치료 과정에서 전문적인 재정과 법률 전문가의 도움을 받아 경제적 피해에 따른 스트레스를 줄여야 한다.

넷째는 가족 치료다. 가족이 도박 문제에 대해 올바른 정보를 갖고 적절한 대처 방법을 습득해서 환자의 회복을 돕는다.

다섯째는 대안 치료다. 도박을 대체할 수 있는 적절한 대안 활동을 탐색해 건전한 정서 함양과 치유를 도모한다.

여섯째는 약물 치료다. 도박에 대한 충동이 강하거나 금단 증상이 심할 경우 일시적으로 약물 치료가 필요할 수 있다. 현재까지 도박 중독에 효과가 있다고 알려진 약물로는 항우울제의 일종인 선택적 세로토닌 재흡수 억제제와 갈망 억제제 등이 있다.

"도박을 즐기는 모든 인간은 불확실한 걸 얻기 위해 확실한 걸 걸고 내기하는 것이다."

17세기 프랑스의 수학자이자 철학자인 파스칼의 말이다. 세상에서 가장 확실한 것은 내가 땀 흘려 번 소득이다. 일확천금이나 불로소득을 꿈꾸는 것처럼 어리석고 허망한 건 없다.

'바늘 도둑이 소도둑 된다'는 속담은 지금도 유효하다. 성인들의 도박 중독도 문제지만, 자아 정체성을 확립해야 할 청소년들이 무분별하게 도박에 빠져드는 건 큰 문제가 아닐 수 없다. 내 자녀에게 이런 일이 일어나지 않으리라는 보장이 없으므로 세심한 관심과 관찰이 필요하다. 이는 통제나 간섭과는 다르다.

아이가 갑자기 돈을 펑펑 쓴다거나, 무리하게 아르바이트한다거나, 자꾸 용돈을 올려달라거나, 평소와 달리 폭력적인 행동이나 반응을 보인다면 예의주시할 필요가 있다. 다그치는 게 능사가 아니라 아이의 마음을 잘 살펴 불안과 염려를 누그러뜨려야 한다. 도박 중독 역시 다른 중독과 마찬가지로 마음의 문제에서 비롯된 것이기 때문이다. 전문적인 도움이 필요하다면 한국도박문제관리센터로 연락한다. 전용 콜센터는 국번 없이 '1336'이다. 24시간 365일 무료 상담할 수 있다. 인터넷 상담도 얼마든지 가능하다.

매년 9월 17일은 도박 중독 추방의 날이다. 2020년 9월에는 청소년들이 참여하는 '청소년 도박 추방의 공동 100인 서명운동'도 함께 진행되었다. 사회 구성원 모두가 우연과 요행을 바라는 마음을 접고 정직한 마음으로 내 인생 밭을 성실히 가꾸기로 다짐하는 날이 되었으면 좋겠다. 그것이 나와 가족과 우리 국민 모두의 정신건강을 지키는 일이다.

음란물에 포위된 사람들

포르노 중독

세간을 떠들썩하게 했던 'n번방' 사건의 주범인 문형욱과 공범 안승진의 얼굴이 세상에 알려졌다. 안승진은 아동 성 착취물을 제작하고 유포한 혐의로 경찰에 구속돼 대구지검 안동지청으로 송치되기 전 안동경찰서 앞에서 기자들이 범행동기에 관해 묻자 이렇게 대답했다.

"음란물 중독으로 인한 것 같습니다."

검찰은 KBS 연구동 내 여자 화장실에 카메라를 설치해 불법 촬영한 혐의로 구속된 개그맨 박모 씨에 대한 공판에서 징역 5년을 구형하면서 다음과 같이 그 이유를 밝혔다.

"피고인은 초소형 카메라를 구매해 설치한 뒤 장기간 불법 촬영했습니다. 신뢰 관계에 있는 직장 동료를 대상으로 한 범행으로 피해자들이 엄벌을 원하고 있습니다."

매스컴을 통해 들려오는 각종 성범죄와 관련된 뉴스가 하루도 거르는 날이 없을 정도로 잦다. 범죄의 양상도 천차만별이지만, 범죄자들의 면면 또한 다양해지고 있다. 대학생, 회사원, 공무원, 군인, 연예인, 유명 방송국 앵커 등 유망 직업과 수려한 외모를 가진 사람들도 범죄에 가담하고 있다. 겉보기에 아무 이상도 없는 사람들이 왜 이런 파렴치한 범죄의 늪에 빠져들게 된 것일까? 정도의 차이는 있겠지만 이들 대부분은 포르노 중독에 빠진 것으로 보인다.

포르노 중독Pornographic Addiction이란 일상생활에 지장을 초래할 정도로 포르노그래피를 탐닉하는 상태를 가리킨다. 우연히 혹은 호기심으로 포르노그래피를 접한 뒤 점차 빠져들어, 한 번 포르노그래피를 접하면 그만두지 못하고 계속 집착하게 되는 것이다. 그러면서 어지간한 수위의 포르노그래피에는 무감각해져 더욱 새롭고 자극적인 걸 추구한다. 포르노그래피 속의 세계와 현실 세계를 구분하지 못할 정도가 되기도 하고, 포르노그래피의 주인공처럼 실제로 해보고 싶다는 충동을 느끼기도 한다. 이런 충동을 제어하지 못해 실제 행동으로 옮길 경우, 돌이킬 수 없는 범죄의 나락으로 추락하고 만다.

범죄에 이르지는 않았다고 해도 포르노 중독에 빠져 고민하는 사람들이 증가하고 있다. 팬데믹의 여파로 외출이 자유롭지 못하고, 재택근무가 늘어나면서 집에 머무는 동안 포르노그래피를 접할 시간과 기회가 많아진 탓이다. 언제 어디서든 자유로이 인터넷과 스마트폰을 사용할 수 있다는 것은 모든 사람이 포르노그래피에 무방비로 노출되어 있다는 말과 다르지 않다. 클릭 한 번, 터치 한 번이면 수많은 포르노그래피를 무한대로 접할 수 있는 세상 속에서 포르노 중독에 시달리는 사람들이 양산되고 있다.

포르노 중독이 점차 늘어나는 이유

인간의 뇌에는 보상회로Reward Pathway 시스템이 있다. 음식을 먹거나 물을 마시거나 성적 행위를 하면 즐거움을 느끼는데, 이는 자연 보상의 결과다. 생존에 필요한 이런 즐거운 감정은 보상 효과와 연결되어 같은 행동을 반복하도록 동기를 부여한다.

보상회로의 주요 부위는 복측피개 영역과 중격측자핵, 그리고 전전두엽 피질이다. 복측피개 영역의 뉴런에 있는 신경전달물질인 도파민이 중격측자핵과 전전두엽 피질로 분비된다. 이 회로는 자연 보상뿐 아니라 약물 같은 인위적인 보상 자극에 의해서도 활성화되어 도파민을 분비한다. 도파민은 기쁨과 쾌감을 맛보게 한다.

포르노그래피를 보고 쾌감을 느껴 시청을 반복하면 도파민이 과다 분비되어 뇌에 물리적 변화가 일어난다. 전전두엽 피질에 변화가 생기면서 의지력이 점점 상실되고, 중독 대상에게 지나치게 몰입하며, 탐닉하는 경향이 강해지는 것이다. 중독 대상 외에는 흥미가 일어나지 않고, 매사에 몰입이 어렵고, 동기나 의욕이 솟아나질 않는다. 포르노그래피를 보지 않으면 불안하고 초조해진다. 자연히 삶이 무기력해지면서 더욱 강한 자극을 갈망하게 된다.

뇌가 포르노그래피를 보면서 자극받는 것 외에 다른 어떤 것으로부터도 즐거움을 느끼지 못하게 되면, 사회생활이나 대인관계에 심각한 지장이 생긴다. 학업, 운동, 일, 취미 심지어 연애까지 모두 지루하다. 포르노그래피에 비하면 자극적이지 않고 시시하게 느껴지기 때문이다. 포르노그래피 시청을 줄이거나 중지하면 안절부절못하거나 과민해지는 까닭에 번번이 실패한다. 당연히 결혼생활에도 악영향을 미치게 되고 그런 자신을 자책하면서 우울과 불안에 빠지기도 한다. 포르노 중독은 신체 이미지나 성 기능과 관련하여 부정적인 자기 인식과 밀접한 관련이 있다. 그래서 발기 부전과 조루증으로 정상적인 성생활을 하지 못할 수도 있다.

포르노 중독은 성에 대한 호기심이 왕성한 시기인 청소년에게서 많이 나타난다. 더욱 걱정스러운 건 미디어의 범람과 전자기기의 발달로 포르노그래피를 경험하는 연령대가 갈수록 낮아지고 있다는 점이다. 최근 연구 보고서에 의하면, 남학생의 경우 대부분 초등학교 저학년 때부터 포르노그래피를 접하는 것으로 나타났다. 성에 대한 가치관과 윤리관이 확립되지 않은 어린 나이에 아무런 여과 장치 없이 포르노그래피를 접하는 것이다.

포르노 중독에 빠져들고 있는 사람조차 이런 식으로 핑곗거리를 찾는다. “호기심으로 잠깐 보는 거니까 괜찮아.” “이게 다른 사람한테 해를 끼치는 건 아니잖아?” “나는 언제든 마음만 먹으면 안 볼 수 있어."

이렇게 그저 무료해서, 재미 삼아, 호기심에 포르노를 보기 시작하지만, 반복하면서 취미가 되고, 중요한 삶의 수단이 되다가, 스스로 도저히 빠져나올 수 없는 중독에 이르게 된다. 미국 상담심리학자인 데니스 프레드릭Dennis Frederick은 저서《달콤한 포르노그래피》에서 포르노 중독의 원인을 분석했다.

> "한 개인이 음란물에 심취하는 원인은 여러 가지일 수 있다. 때로 외로움 때문에 음란물에 끌릴 수도 있고, 건강한 관계들을 누리지 못해 음란물에 빠지기도 한다. 누구에게도 사랑받지 못한다는 박탈감 때문일 수도 있고, 자기 자신을 사랑하지 못해서 그럴 수도 있다. 분노가 원인인 경우도 있다. 자신에게 더 많은 것을 누리고 받을 자격이 있다는 감정이 내면 깊숙이 자리 잡고 있거나, 가질 수 없는 것을 가지고 싶어 하는 욕망이 있는 것이다."

강한 자극으로부터 나 자신을 보호하라

포르노 중독에서 벗어나려면 첫째, 스스로 문제가 있다는 점을 인정해야 한다. 다른 중독보다 자신에게 문제가 있음을 인정하기 어렵고, 뒤늦게 발견되는 경우가 많기 때문이다. 누구나 다 보는 거라고 변명할 수 있지만, 내 실생활에 영향을 주고 있다면 중독을 인정해야 한다.

둘째, 다른 중독과 마찬가지로 포르노그래피 시청에 빠져드는 계기를 파악할 필요가 있다. 성생활이 지루하거나 만족스럽지 않을 때 혹은 다른 스트레스로 몹시 힘든 상황에서 포르노그래피를 통해 일시적 만족감을 얻을 수는 있다. 그러나 궁극적으로 스트레스나 관계 문제를 해결하기 위해서는 상담을 받거나 운동이나 여가 활동 등의 대체물을 찾아야 한다.

셋째, 포르노그래피를 습관적으로 시청하는 패턴을 확인한다. 예를 들어 항상 저녁 시간에 이를 탐닉하는 사람이라면, 저녁 시간에 운동에 몰입하거나 친구들과 시간을 보내는 등 다른 대안을 찾는 것이 좋다. 중요한 것은 중독을 유발하는 습관을 교정하는 것이다.

넷째, 이런 노력에도 불구하고 스스로 치유하기 어려울 때는 정신건강의학과 전문의의 도움을 받는다. 포르노그래피에 대한 갈망을 줄이기 위해 도파민 분비를 차단하는 약 등을 사용할 수 있다. 치료와 상담을 병행하면 얼마든지 정상적인 일상을 회복할 수 있다.

어린 학생들의 포르노그래피 중독을 치료하기 위해서는 무엇보다 부모와 교사의 역할이 중요하다. 가정에서 부모와 따뜻한 교감을 나누면서 대화가 잘 이루어진다면 아이가 혼자 방에서 은밀히 포르노그래피를 탐닉하는 시간을 갖기 어렵다. 무슨 일이든 부모와 의논하고 대화할 수 있는 분위기를 만들어야 한다.

컴퓨터를 거실로 옮기거나 스마트폰 사용 시간을 따로 정해줄 수도 있다. 부모가 먼저 성교육을 받고 난 뒤 자녀 나이에 맞게 올바른 성교육을 한다면 더욱 좋을 것이다. 가족과 함께 캠핑, 취미, 스포츠 활동을 하거나 자녀가 친구들과 어울려 봉사나 사회 활동에 참여하도록 하는 것도 유의미하다.

학교에서는 체계적인 성교육과 미디어 리터러시Media Literacy 교육을 강화한다. 일선 초·중·고등학교에서 법적으로 정해진 성교육 시간조차 채우지 않는 경우가 많고, 전문적인 성교육 강사도 확보되지 않아 성교육 시간이 유명무실한 실정이 많다. 아이들이 또래들과 많은 시간 머무는 학교 공간은 성교육하기에 최적의 공간이다.

미디어 리터러시는 다양한 형태의 메시지에 접근하여 메시지를 분석하고 평가하고 의사소통할 수 있는 능력이다. 인터넷과 스마트폰 사용에 능한 청소년들이 수많은 미디어의 홍수 속에서 양질의 메시지를 선택해 이용하고, 질이 낮은 메시지는 차단해서 접근하지 않는 능력과 판단력을 길러야 한다.

미국 작가 프랭크 요크Frank York와 잔 라루Jan LaRue가 공동 집필한 《포르노로부터 아이들을 보호하라》에는 포르노그래피를 '야동'이라는 짓궂은 별칭으로 부르며 자연스럽게 받아들여서는 안 되는 이유가 분명하게 명시되어 있다.

"포르노 산업은 정말 심각한 산업이다. 당신의 자녀가 성범죄자가 될 수 있고, 포르노의 희생자가 될 수 있다. 그렇게까지 되지 않더라도 적어도 웹상에서 다양한 성을 다루는 사이트를 보고 성에 대한 왜곡된 생각을 품게 될 것이다. 포르노의 유혹에 굴복한 아이는 최소한 센터폴드 증후군포르노를 많이 본 남자가 여자를 사람이 아닌 물건으로 보고 한 여자와 건강하고 지속적이며 인격적인 관계를 맺지 못하는 현상으로 발전할 소지를 안고 있다."

담배,
구원인가 파멸인가

니코틴 중독

예전 영화나 드라마를 보면 요즘과 확연히 다른 광경 하나를 볼 수 있다. 바로 어디서든 버젓이 담배를 피우는 모습이다. 시내버스 안에서도 좌석에 앉아 담배를 피웠고, 기차 안에서도 편안하게 담배를 물었으며, 극장 안에서도 영화를 보면서 담배에 불을 붙였다. 인파가 넘치는 사거리 다방에는 담배 연기로 가득 차 실내가 안개 낀 듯 뿌열 때가 적지 않았다.

적어도 1970년대까지의 풍경이 이랬다. 누구 하나 담배를 피우지 말라느니, 담뱃불 좀 끄라느니 하는 말을 하지 못했다. 성인 남성이 담배를 피우는 것은 일종의 권리였고, 하나의 상징이었다. 권리란 남자의 담배 피울 권리를 말하고, 상징이란 남성 우월주의 사회를 나타내는 상징을 말한다. 간접흡연의 괴로움은 인정되지도 고려되지도 않았다.

이렇듯 담배에 관대한 문화였지만, 여성 흡연에는 전혀 관대하지 않았다. 여성들은 시내버스나 기차나 극장이나 다방에서 절대 담배를 피울 수 없었다. 법이 그랬다는 게 아니라 관습이 그랬다는 이야기다. 여성은 화장실이나 뒷골목 혹은 자기 방에서 몰래 담배를 피워야 했다. 그러다 혹시라도 들키면 버르장머리 없다고 혼쭐이 나고, 본인은 물론 부모를 포함해 집안 식구와 조상들까지 싸잡아서 교양 없고 본데없는 사람 취급을 받았다. 이른바 마초Macho, 스페인어로 본래 '남자'라는 뜻이었으나, 근거 없이 여성을 비방하거나 비하하는 여성 차별주의자나 남성 우월주의자를 가리키는 말로 의미가 확대됨의 시대였다.

그런데 세상이 바뀌었다. 요즘에는 두 가지 상반된 장면이 일상이 되었다. 하나는 떳떳하게 담배를 피울 공간이 현저히 줄어든 것이다. 시내버스, 기차, 극장, 다방은 물론 아파트든 사무실이든 건물 안에서는 담배를 피우기 어렵다. 밖이라도 사람이 많이 오가거나 모이는 곳에서는 담배를 피울 수 없다.

인적이 드문 곳에서 눈치 봐가며 혹은 매우 불편하게 담배를 피워야 한다. 공공도서관 한쪽에는 자그마한 컨테이너가 들어섰는데, 바로 흡연실이다. 공항에도 기차역에도 이런 흡연자들을 위한 공간이 마련되어 있다. 좁은 공간에 삼삼오오 모여 연기를 뿜어대는 모습을 보면 왠지 측은하게 느껴진다.

또 하나의 장면은 여성 흡연자들의 모습이다. 이제 여성들은 화장실이나 뒷골목 또는 자기 방에서 몰래 담배를 피우지 않는다. 어디서든 눈치 보지 않고 자유롭게 담배를 피울 수 있다. 점점 여성 흡연에 관대해지다가 이제는 서양처럼 신경 쓰거나 간섭하지 않는 문화가 된 것이다. 합법적으로 흡연이 가능한 장소라면 얼마든지 담배를 피울 수 있게 되면서 여성 흡연자들이 눈에 띄게 증가했다.

이런 시대의 흐름은 흡연율에 고스란히 반영된다. 남성 흡연율은 계속 감소하는 데 반해 여성 흡연율은 갈수록 증가 추세다. 보건복지부와 질병관리청이 발표한 2018년 국민건강통계에 따르면 남성 흡연율은 1998년 66.3퍼센트에 달했던 것이 2018년 36.7퍼센트로 줄어든 것으로 나타났다. 20년 만에 절반가량 감소한 것이다.

한편 여성 흡연율은 1998년 6.5퍼센트였으나 2018년 7.5

퍼센트로 늘어났다. 증가 폭이 크지 않지만, 자세히 들여다 보면 그렇지 않다. 20~40대 젊은 여성의 흡연율이 20년간 약 두 배가량 증가한 것이다. 남성들은 사회적 분위기에 영향을 받아 아예 담배를 멀리하거나 나중에라도 금연하려는 사람들이 느는 반면, 여성들은 상대적으로 느슨해진 사회적 분위기에 힘입어 쉽게 흡연자 대열에 합류하고 있다.

담배를 갈망하는 이유

담배 속에 포함된 니코틴 때문에 생기는 신체적 혹은 정신적 증상을 '니코틴 중독Nicotine Dependency'이라고 한다. 니코틴 성분에 의해 급성 또는 만성의 신체 증상이 발생하는 것을 가리킨다. 급성중독은 처음 흡연하거나 우연히 담배 연기를 삼켰을 때 발생한다. 주요 증상으로는 두통, 오심, 구토, 설사, 혼수, 경련 등이 있다. 만성중독은 오랜 기간 꾸준히 흡연한 결과로 발생한다. 주요 증상으로는 만성 인후염과 기관지염, 부정맥, 혈압 상승, 협심증, 식욕부진, 소화 불량 등이 있다. 니코틴의 주요 섭취 경로는 직간접적인 흡연이다.

담배 연기를 들이마시면 니코틴이 혈관을 통해 뇌에 도달하여 신경전달물질인 도파민을 활성화함으로써 쾌감과 긍정적 기분을 느끼게 한다. 도파민은 행복 호르몬의 일종으로 뇌에서 쾌락을 담당하는 쾌락 중추의 분비를 촉진해 쾌감을 유발하는 강한 효과를 가지고 있다.

음식물을 섭취했을 때 쾌락 중추까지 도달하는 시간이 30분이나 걸리는 데 비해 흡연은 단 7초 만에 쾌락 중추에 도달한다. 흡연과 동시에 만족감과 쾌감을 느끼게 되는 것이다. 따라서 흡연을 통해 이런 경험을 하게 되면 계속해서 흡연하고자 하는 욕망이 생겨난다. 그렇기에 맛을 들이면 좀처럼 끊기 힘든 강한 중독성을 갖는 게 흡연이다.

이런 담배의 특성을 고려해보면, 정신질환이 있는 사람들에게서 흡연이 빈번한 것은 놀라운 사실이 아니다. <미국의학협회저널JAMA>에 게재된 한 연구에서는 정신질환자의 41퍼센트가량이 흡연한다는 통계가 언급된 바 있다. 니코틴은 적당히 효과적인 기분 안정제 역할을 하면서 차분해지는 느낌을 제공하기 때문이다. 하지만 이는 일시적인 반응이다. 담배를 갈망할 때 동반되는 우울감과 스트레스는 정신건강에 나쁜 영향을 미칠 수밖에 없다. 니코틴은 불안감을 유발하기도 한다. 흡연이 정신질환을 일으키지는 않지만, 일상생활에서 마주하는 스트레스나 정신건강 상태를 악화시킨다는 증거는 얼마든지 있다.

흡연으로 인한 가장 큰 병폐, 즉 담배 연기를 직간접적으로 흡입함으로써 발생하는 대표적인 질환은 폐암이다. 폐암은 수년째 국내 암 사망률 부동의 1위 자리를 지키고 있다. 통계청 자료에 따르면 2018년 한 해 동안 1만 7,852명이 폐암 때문에 목숨을 잃었다. 전체 암 사망자의 20퍼센트가 넘는다. 폐암의 발병 원인이 반드시 흡연은 아니지만, 흡연으로 인한 발병률은 약 70~80퍼센트에 이른다.

폐암 사망률이 높은 이유는 발병 초기에 나타나는 증상이 없어 조기 진단이 어려운 까닭이다. 효과적인 선별 검사 방법도 없어 3~4기에 이르러서야 병원을 찾는다. 이때는 수술하기엔 너무 늦은 시기로, 수술할 수 있는 경우는 30퍼센트 정도에 불과하다. 다른 방법으로 치료하더라도 재발률이 높고 생존율이 낮다. 현재로서는 정기 건강검진을 통해 폐암 여부를 확인하는 것이 최선의 예방법이다.

흡연과 여성 건강은 매우 밀접한 연관이 있다. 흡연하던 여성이 임신하거나 임신 중인 여성이 흡연했을 경우, 아기에게 저체중, 유산, 조산, 합병증을 비롯해 각종 결함이 나타날 가능성이 크다. 10대 청소년의 흡연 문제도 예사롭지 않다. 2018년 기준으로 남자 고등학생의 흡연율은 14.1퍼센트, 남자 중학생은 3.9퍼센트에 달했으며, 여자 고등학생은 5.1퍼센트, 여자 중학생은 2.1퍼센트인 것으로 조사됐다. 10대 청소년의 경우 드러내놓고 담배를 피우지 않는다는 점을 고려하면 실제로는 이보다 더 높은 수치일 것으로 짐작된다. 젊은 여성들과 청소년들의 흡연이 자꾸만 늘어난다는 건 우리 사회의 미래를 암울하게 하는 일면이다.

니코틴 중독은 엄연한 질병이다

니코틴 중독을 포함한 모든 중독 현상은 뇌 질환으로 파악하는 게 옳다. 개인의 기질적 문제나 성향 때문이 아니다. 신경전달물질이 정상적인 조절 기능을 상실함으로써 병적인 상태로 바뀐 것이다. 따라서 체계적이고 포괄적인 치료를 시행해야 한다.

금연을 실천하려고 할 경우, 당연히 금단 증상이 따른다.

불쾌하거나 우울한 기분, 불면증, 자극 과민성, 좌절감, 분노, 불안, 집중력 장애, 안절부절못함, 심장 박동수 감소, 식욕 증가 또는 체중 증가 등의 증상이 나타난다. 이런 증상이 금연에 장애가 될 수는 있으나 이는 일시적인 현상이다. 장기적으로 보면 금연의 이익은 너무도 명백하다. 흡연을 메타 분석한 연구 결과를 보면, 하루 담배를 한 갑씩 피우던 흡연자들을 대상으로 조사했을 때, 금연 이후 금연 전보다 우울, 불안 등의 정신건강 척도에서 긍정적인 변화를 관찰할 수 있었다고 한다.

효과적인 금연 방법은 워낙 많이 알려졌지만, 대표적인 다섯 가지 방법을 들 수 있다.

첫째는 효과가 검증된 금연 도구를 사용하는 것이다. 일명 니코틴 대체요법이다. 패치를 붙이거나 담배를 대체할 만한 은단, 껌, 사탕 등을 가지고 다니면서 먹는 방법이다.

둘째는 금연 클리닉 등을 방문해 본인의 상태를 확인하고, 개인에게 맞는 금연 방법을 시도하는 것이다. 정부나 지자체에서 운영하는 각종 금연 프로그램에 참여하는 것도 좋다.

셋째는 정기 건강검진을 받을 때, CT 촬영을 통해 담배로 인한 질환을 조기에 발견하는 것이다. 최근에는 국가사업을 통해 예전보다 훨씬 저렴한 가격에 촬영할 수 있다.

넷째는 여러 가지 노력에도 불구하고 금연이 어려울 때, 정신건강의학과 전문의를 찾아가 상담하는 것이다. 의사의 처방에 따라 효과가 입증된 바레니클린과 부프로피온 등 금연 치료보조제를 복용하는 방법도 있다. 이와 더불어 심리치료와 인지 치료를 병행하면 효과적이다.

다섯째는 본인의 강한 의지와 실행력, 그리고 가족 등 주변 사람들의 관심과 지지가 중요하다. 아무리 좋은 치료제와 치료 방법이 있다고 해도 본인에게 금연하려는 의지와 노력이 없다면 무용지물이다. 금연은 나를 위해 하는 것이지 다른 사람을 위해 하는 게 아니다.

어떤 사람은 완전한 금연에 이르는 중간 단계로 전자담배를 피우는 사람이 있다. 하지만 이것은 전혀 도움이 되지 않는다는 게 전문가들의 판단이다. 〈네이처〉의 자매 학술지인 〈사이언티픽 리포트〉에 분당서울대병원 가정의학과 이기헌 교수 연구팀의 논문이 실렸다. 이에 따르면 궐련과 전자담배를 함께 사용하는 흡연자 집단의 심혈관 질환 위험요인이 궐련만 피우는 흡연자의 그것보다 높다는 사실이 입증

되었다. 궐련과 전자담배를 함께 사용하는 흡연자는 대사증후군 유병률이 비흡연자보다 2.79배, 일반 흡연자보다 1.57배 높았다. 특히 대사증후군 판단 요소인 복부비만, 고중성지방혈증, 저HDL 콜레스테롤혈증 수치에서 상대적으로 높은 유병률을 보였다. 스트레스 인지율과 우울 경험률도 높게 나타났다.

남성들은 대개 군대에 가서 담배를 배운다. 담배를 피우면 고통스럽지 않고, 힘겨운 시간이 빨리 지날 것 같아서다. 여성들 역시 사회 진출이 활발해지면서 각종 스트레스와 과중한 업무 등에 시달리며 스트레스 해소의 출구로 흡연을 선택하는 경향이 있다. 청소년들은 빨리 어른이 되고 싶어서, 담배를 피우면 어른이 된 것 같아서 흡연의 유혹에 빠진다. 어른들이 피우지 말라고 하니까 반항하기 위해 피우는 아이도 있다. 이런 사람들에게 담배는 자유와 해방의 상징이며, 스트레스와 고민을 일거에 날려주는 청량제이자 치료제다.

하지만 이 모두는 사실이 아니다. 담배는 나를 질병과 죽음으로 인도하며, 가족을 불행과 고통으로 몰아넣는 악마의 약, 사탄의 유혹이다. 끊는 것만이 유일한 정답이다. 그렇지 않으면 차일피일하는 사이 연기처럼 내 청춘도 희망도 훨훨

날아가 버릴지 모른다.

아카데미 남우주연상을 받은 카리스마 넘치는 전설적인 미국 배우 율 브리너는 대단한 골초였다. 하루에 담배를 한두 갑씩은 꼭 피웠다고 한다. 결국은 말년에 폐암에 걸려 힘겨운 투병을 하며 금연 홍보 운동에 나섰다. 그가 세상을 떠나면서 이런 말을 남겼다.

"나는 이제 떠나지만, 여러분께 이 말만은 해야겠습니다. 담배를 피우지 마십시오. 당신이 무슨 일을 하든, 담배만은 절대로 피우지 마십시오."

대한민국은 마약 청정국이 아니다

마약 중독

 # SCENE 1

대학생 A 씨는 여름방학을 이용해 외국으로 한 달 동안 어학 연수를 왔다. 방을 같이 쓰게 된 선배 B 씨가 몹시 피곤해하는 A 씨에게 이런 제안을 했다.

"이거 한 번 맞아 볼래? 아무렇지도 않아. 피로가 좍 풀릴 거야."

선배 B씨가 권한 건 필로폰이었다. 평소 믿고 지내던 선배였기에 가벼운 마음으로 필로폰 주사를 맞았다. 선배 말대로 아무렇지 않았다. 그런데 기분은 점점 좋아졌다. 피곤하고 늘어졌던 몸의 기운이 확 살아나는 것 같았다.

A 씨는 어학연수를 마치고 귀국한 뒤에도 스트레스를 받거나 시험을 앞두고 기분이 좋지 않을 때면 B 씨에게 연락해 필로폰 주사를 맞았다. A씨는 자신의 의지를 굳게 믿었다.

'졸업할 때까지만이야. 원하던 회사에 취업만 하면 딱 끊고 살 거야.'

열심히 노력한 덕에 성적이며 스펙 등이 뛰어났던 A 씨는 남들이 부러워하는 대기업에 취업했다. 여자친구의 믿음 또한 확고해진 것 같았다.

'한동안 최선을 다해 일해서 진급하면, 결혼도 하고 멋진 가정도 이룰 수 있겠지.'

그런데 회사 생활은 녹록지 않았다. 업무 스트레스는 물론 대인관계 스트레스가 장난이 아니었다. 파김치가 되어 집에 들어온 날은 대학 시절 경험했던 필로폰의 달콤한 경험이 되살아났다. 그토록 믿었던 자신의 의지가 이리도 허무하게 무너져내릴 줄 몰랐다. 그는 결국 선배 B 씨에게 다시 전화를 걸고 말았다.

회사 생활이 힘들어질수록 선배 B 씨와의 만남이 잦아졌다. 일의 능률도 오르지 않았다. 여자친구에게 화를 내고 심지어 손찌검까지 하는 일이 벌어졌다. A 씨도 자기가 왜 그러는지 이해가 되지 않았다.

'이러면 안 되는데. 왜 멈춰지지 않는 거지? 어떻게 들어온 회사인데…… 여자친구와의 관계도 회복해야 하고…… 아, 정말 미칠 것만 같아.'

해마다 설이나 추석 같은 명절이 다가오면 정부는 여러 가지 교통, 치안 대책 등을 발표한다. 2021년 설에는 예년에 볼 수 없었던 특별한 대책이 눈길을 끌었다. 충남 태안해양경찰서에서 설 명절을 맞아 해상 수산물 절도 및 마약사범에 대한 특별 단속을 시행한다고 밝혔기 때문이다.

설 명절과 마약이 무슨 관계가 있기에 경찰 당국이 정색하고 이런 발표까지 하게 된 것일까? 명절에 소비될 각종 수산물이나 어패류 등을 수입한다는 명목으로 몰래 마약을 들여오는 사례가 빈번한 까닭에 그 부분을 집중적으로 단속하겠다고 선언한 것이다.

실제로 얼마 전 남해지방해양경찰청은 부산 신항에 입항한 아프리카 라이베리아 국적 14만 톤급 배에서 시가 1,050억 원 상당의 코카인 35킬로그램을 압수했다고 밝힌 바 있다. 35킬로그램은 100만 명이 투약할 수 있는 분량이다. 배는 미국에서 출발해 콜롬비아, 파나마, 부산 신항을 거쳐 중국을 차례로 거치는 정기선이었다. 발견된 코카인 박스는 전갈 문양의 포장지로 덮여 있었는데, 콜롬비아 마약 조직이 사용하는 문양이라고 한다. 또한 마약을 체내에 숨겨 운반하는 '보디 패커body packer'가 등장하기도 했다.

전 세계 여러 나라가 오래전부터 마약 때문에 골머리를 앓아 왔지만, 대한민국은 상대적으로 마약 청정지대로 알려져 왔다. 그러나 최근의 흐름을 보면 더는 그렇지 않은 것 같다.

유명 기업 창업주의 외손녀인 황하나 씨는 마약 혐의로 경찰에 체포되면서 이름이 널리 알려졌다. 유명 연예인의 전 약혼녀이기도 했던 그녀는 여러 차례 필로폰 투약 및 공급 의혹으로 수사받았다. 2010년부터 대마초를 흡입해 왔고, 친인척에게 대마초를 공급했다는 증언까지 나왔다. 2011년에는 미국 로스앤젤레스에서 마약 투약 혐의로 강제 추방되었다고 한다. 구속된 그녀는 필리핀에 수감된 마약왕 박왕열과 국내 마약 조직 바티칸 킹덤과 연관되었다는 혐의도 받고 있다. 또한 유명 가수나 탤런트들의 대마초 투약 사실도 속속 밝혀지고 있다.

예전에는 인기를 먹고 살며, 환호와 비난이라는 극단의 대중심리에 시달리던 연예인들이 현실의 괴로움에서 벗어나려는 충동으로 마약에 손을 대는 경우가 많았다. 그러나 근래에는 대학생, 회사원, 주부 등 일반인도 마약의 유혹에 빠져들고 있다.

고속도로를 지그재그로 운전하는 음주 의심 차량이 경찰에 쫓기다 붙잡혔는데, 알고 보니 해당 운전자가 음주 운전자가 아닌 마약 수배자였다는 기사나, 택시에 승객이 두고 내린 가방 안에서 필로폰과 헤로인 등 마약이 발견돼 경찰이 가방 주인을 긴급 체포했다는 뉴스 등은 더는 새롭거나 충격적이지 않다. 유흥가나 클럽에서 어렵지 않게 마약을 구할 수 있으며, 인터넷에서는 공공연하게 각종 마약류가 거래되는 게 엄연한 현실이다.

마약은 몸과 정신에 어떤 영향을 미치는가?

중독 하면 가장 먼저 떠오르는 게 바로 마약이다. 마약이 대중 일반에 그만큼 잘 알려져 있다는 뜻이다. 그렇다면 마약이란 무엇일까? 마약이 법으로 철저히 금할 만큼 그토록 위험한 물건일까?

마약Narcotics은 오용 또는 남용하게 되면 인체에 심각한 위해가 초래되는 약물을 가리킨다. 중추신경계에 작용하여 뇌 신경세포의 기능에 변화를 가져오기 때문이다. 정확한 용어는 '마약류'다. 마약은 마약류의 한 종류일 뿐이다. 한자어로 마약痲藥은 '사람을 저리게 만들고 마비시키는 약'이라는 뜻이다.

마약은 일반적으로 기분이나 생각 등에 변화를 줄 목적으로 섭취하여 정신에 영향을 주는 물질을 말하는데, 그 영향이라는 것이 다분히 부정적이기에 더욱 문제가 된다. 건전한 이성을 마비시켜 비정상적인 행동을 하게 하므로 범죄나 사고로 이어질 가능성이 크고, 강한 중독성을 가지므로 이를 끊을 수 없어 돈을 마련하고자 무리하게 된다. 이 과정에서 정상적인 사회생활과 경제활동을 할 수 없게 만든다. 따라서 정식 의약품 등으로 허가받지 않은 모든 약물은 제조, 소유, 판매할 수 없고, 이를 사용하는 사람도 처벌 대상이 된다.

'마약류 관리에 관한 법률'에 따르면, 마약류는 투여 시 의존성, 내성, 금단 증상 등이 나타나는 마약, 향정신성 의약품 및 대마가 해당한다. 아편, 모르핀, 코데인, 헤로인, 코카인 등 생약에서 추출한 천연마약, 페티딘, 메사돈 등 화학적으로 합성한 합성마약, 환각제, 각성제, 중추신경 억제제 등 향정신성 의약품과 대마를 포함한 물질이다. 의료용으로 사용되는 마약은 주로 중등도 이상의 급성, 만성 통증 조절에 사용되므로 마약성 진통제라고도 한다.

마약류가 이토록 유해하고 위험한 물질이라면, 사람들은 왜 법을 어기면서까지 마약류를 구해 투약하는 것일까? 본인은 물론 집과 회사에까지 악영향을 끼칠 우려가 있다는 사실을 알면서도 왜 마약류의 유혹을 끊어내지 못하는 것일까? 그것은 쾌락에의 탐닉 때문이다.

마약이란 '무감각' 또는 '마비'를 뜻하는 그리스어 나르코티코스Narkotikos에서 유래했다. 마약의 주된 생리적 작용이 통증을 없애는 것이므로, 이 단어에 기원을 둔다. 적은 양만 섭취하더라도 강력한 진통 작용과 마취 작용을 나타내는 게 마약이다. 예를 들면 메스암페타민과 같은 중추신경 흥분제는 뇌간의 중앙에 있는 망상체에서 말초신경으로부터 노에피네프린의 방출을 증가시킨다.

노에피네프린은 신경호르몬으로 과량 분비 시 각성과 흥분을 일으킨다. 이를 투약하면 졸음과 피로감이 사라지고, 육체적 활동이 증가하며, 쾌감이나 행복감을 느끼게 된다. 아무리 과로해도 힘들지 않고 기분이 좋다. 그렇지만 약효가 사라지면 깊은 허탈감이나 우울감을 경험한다. 사용자는 쾌감을 지속시키기 위해 계속해서 약물을 투여하려 애쓰게 된다.

모르핀이나 헤로인 등 중추신경 억제제들 역시 대뇌피질 등 중추신경계의 여러 부위와 고통이 전달되는 통로인 척수 등에 존재하는 아편 수용체와 결합한다. 이 결합은 통증의 전달을 차단하여 강력한 진통 작용이 나타나게 하고, 특유의 쾌감을 만들어낸다. 한 번 쾌감을 맛본 다음에는 이를 유지하기 위해 계속해서 마약을 탐닉하게 되는 것이다.

마약류에 중독된 사람이 일정 기간 마약류를 투약하지 않으면 당연히 금단현상이 나타난다. 대표적인 금단 증세는 불안감, 쇠약감, 불면증이다. 심하면 간질 발작, 섬망, 쇼크도 나타날 수 있다. 무엇보다 투약했을 때 느꼈던 강력한 쾌락, 즉 흥분 상태나 무감각을 갈망하고 기대하는 마음이 갈수록 커져 견딜 수 없게 된다. 불행한 현재를 벗어나 행복한 그때로 빨리 되돌아가고 싶은 것이다.

마약을 통해 일시적으로 쾌락을 유지할 수는 있지만, 결국 정신착란이나 과대망상과 같은 정신이상이 일어나 정상적인 일상생활이 불가능해진다. 뿐만 아니라, 음습한 곳에서 비위생적인 방법으로 마약류를 사용할 경우, 에이즈나 간염 등 혈액 접촉성 유행병에 걸릴 가능성도 있다.

지난한 마약의 역사, 그리고 합법화

19세기 중국은 영국과 두 차례에 걸쳐 아편전쟁을 치렀다. 당시 서양에서는 중국의 비단, 차, 도자기가 인기를 끌었으나 중국에서는 서양 상품이 그다지 인기가 없었다. 따라서 영국과 중국의 무역 불균형은 갈수록 심화되었다. 영국의 은이 청나라로 계속 흘러 들어간 것이다. 그러자 영국은 인도에서 재배한 아편을 몰래 청나라에 팔기 시작했다. 중국인들이 아편에 중독되어 어떻게 되든 아랑곳하지 않고 막대한 양의 은을 청나라에서 빼낸 것이다.

청나라는 영국으로 은이 계속 빠져나가는 데다 백성들이

아편에 중독되어 혼란이 이어지니 진퇴양난이었다. 결국 청나라는 관리를 보내 영국 상인들로부터 아편을 빼앗아 불태워버린 다음 무역을 금지시켰다. 중국으로서는 당연한 조치였다. 하지만 영국은 이를 구실로 막강한 군사력을 앞세워 중국을 공격했다. 영국의 신식 군대에 대항할 수 없었던 청나라는 영국에 굴복하여 홍콩을 영국에 할양하고 개항하는 등 굴욕스러운 난징조약을 맺기에 이른다.

1773년 영국제 아편이 처음 청나라로 들어올 무렵에는 판매량이 1천 상자였던 것이 1839년에는 4만 상자까지 늘어났다고 한다. 이에 따라 1830년대 말 아편에 중독된 중국인은 약 500만 명 정도로 추정된다. 청나라와 긴밀한 관계에 있었던 조선에도 이즈음 아편이 상당수 유입되었을 것이다. 조정에서는 아편을 천주교 전파를 금지하던 국가정책과 결부시켜 강력하게 금지했다. 그러나 점차 외국과의 왕래가 빈번해지고, 임오군란 즈음 청나라 병사들이 조선 각지에 주둔함에 따라 법이 해이해지면서 아편이 국내에 퍼지기 시작했다.

이처럼 마약류는 돈, 그리고 건강과 밀접한 관계를 맺고 있으므로 시대별로, 국가별로 대처하는 방식이 달랐다. 어떤 시대는 마약류에 상당히 관대하게 대처했다가 또 어떤 시대는 몹시 강경하게 금지하기도 했다. 아직도 마약류에 온건한 정책을 펴는 나라가 있는가 하면 법과 제도로 엄격히 규제하며 관용을 베풀지 않는 나라가 있다.

중남미는 세계 마약 생산의 핵심 기지이자 유통로다. 코카인은 콜롬비아, 페루, 볼리비아에서 생산되며, 대마초는 멕시코에서 생산된다. 부패한 정치권력과 초국가적 범죄조직, 그리고 빈부의 양극화와 극심한 좌우 이념 대립은 마약류의 생산과 유통과 오남용을 부추기는 악습으로 이어진다.

세계 최대 마약류 소비국은 미국이다. 역대 미국 대통령마다 야심 찬 마약 근절 대책을 내놓았지만 성공한 적이 없다. 그런데 조 바이든Joe Biden 대통령 취임 이후 마약류 합법화에 대한 기대감이 높아지면서 마리화나야생 대마초 잎과 꽃을 건조해 분말 형태로 만든 마약 상장지수증권ETF이 사상 최고치를 찍는 등 고공행진 중이다.

2018년 말 잠시 주목받던 마리화나 ETF는 그간 침체기를 걸어왔으나, 2021년 들어 뉴욕 시장에서 급등세를 보이는 것이다. 앤드루 쿠오모Andrew Cuomo 뉴욕 주지사는 지난달 공식 홈페이지를 통해 기호용 마리화나를 합법화하는 방안을 추진하겠다고 밝히기도 했다. 마리화나 합법화는 세수와 직결

될 수밖에 없어 코로나19로 세수 감소를 겪은 주州일수록 합법화에 속도를 낼 것이라는 분석이다.

이와 함께 미국 대마초음료위원회가 출범한다는 소식도 전해진다. 미국 대마무역협회는 얼마 전 대마초음료위원회를 만들겠다고 밝혔다. 위원회는 대마초 음료 시장을 활성화하기 위한 연구와 정책 제안의 역할을 할 예정이다. 대마 시장 조사업체 헤드셋은 2019년 발표한 보고서에서 미국 대마 음료 시장이 지난 2년간 두 배나 성장했다고 발표한 바 있다. 2018년에는 코카콜라가 마리화나 성분이 들어간 음료 개발을 검토 중인 것으로 알려진 일도 있었다. 이미 기호용 마리화나를 합법화한 우루과이와 캐나다에 이어 미국까지 마리화나 합법화에 속도가 붙으면, 마리화나 관련 산업이 새로운 전기를 맞게 될 거라는 기대가 크다.

쾌락이 아닌 행복을 추구하는 마음

의학계에서는 마약류를 치료 목적이 아닌 기호용으로, 즉 쾌락을 목적으로 사용했을 경우, 치명적 부작용이 따를 수밖에 없다고 경고해왔다. 특히 젊은 대마초 중독자가 약물을 사용하지 않는 젊은 사람보다 뇌졸중 같은 혈관질환에 걸릴 가능성이 크다는 것은 수많은 연구 결과로도 뒷받침된다. 대마초를 담배나 전자담배와 함께 사용하면 위험은 더욱 증가한다.

연례 미국심장협회에서는 대마초 사용이 심혈관 질환 위험성을 높인다는 연구 결과와 젊은 세대의 대마초 사용이 뇌졸중의 위험을 높인다는 연구 결과를 발표했다. 미국 오클라호마주 그리핀메모리얼 병원의 리킨쿠마르 파텔Rikinkumar S. Patel 교수는 대마초를 사용하면 심장 박동이 불규칙해진다고 경고했다. 적은 양의 대마초를 사용하면 심장 박동이 빨라지고, 많은 양의 대마초를 사용하면 심장 박동이 지나치게 느려진다는 것이다. 심장 박동은 뇌졸중이나 심장질환으로 이어질 수 있기 때문에 위험하다.

미국 버지니아주 조지메이슨대학교의 타랑 파레크Tarang Parekh 박사는 젊은 대마초 사용자들은 뇌졸중 위험이 크다는 것을 알아야 한다고 강조하면서, 전문의들이 환자에게 대마초 사용 여부에 대해 묻고 잠재적인 위험성을 알려야 한다고 말했다.

한국에서 마약을 사고팔거나 투약하는 것은 법으로 금지되어 있다. 그렇다 보니 모든 거래와 투약이 음성적으로 이루어지고, 자신이 마약에 중독되었다는 사실을 드러내지 못한다. 그러나 처벌은 잠시뿐이다. 마약 중독의 늪에서 빠져나오지 못하면, 자신과 가족 모두의 인생이 송두리째 망가질 수 있다는 사실을 엄중히 인식해야 한다.

마약 흡입→ 발각→ 처벌→ 잠시 뉘우침→ 쾌락 탐닉→ 마약 흡입→ 발각→ 처벌

이 악순환의 고리를 끊어야 한다. 한국은 더 이상 마약류 청정지대가 아니다. 사회 구조가 복잡해지고, 미래가 불투명해지면서 마약류에 의존하는 젊은 층이 늘어나고 있다. 대검찰청에 따르면 2019년 마약류 사범은 역대 최다인 1만 6,044명으로 집계되었고, 투약 사범도 전년 대비 32.9퍼센트나 증가했다. 마약류는 이미 우리 사회 깊숙이 들어와 있다. 중독자를 찾아 처벌하는 게 능사가 아니다. 이들을 치료하고 건강하게 사회에 복귀시킬 수 있는 의료 시스템을 마련해야 한다.

마약 중독자는 인생에 고난과 위기가 찾아오면 이를 직면하기보다는 자신의 힘든 감정을 마약을 통해서 달래고 잊으려 한다. 이것이 반복되면 조금이라도 힘든 일이 있거나, 불편한 감정이 생기면 마약, 즉 현실을 잊어버릴 수 있는 쾌락의 세계에 기대는 버릇이 들게 된다.

마약 중독자의 정신세계는 마약으로 인해 철저히 통제되고 조정된다. 마약의 화학물질 중에는 뇌에 있는 일정 물질을 비정상적으로 분포시키기 때문에 그 사람의 생각과 감정을 현실로부터 차단하거나 비합리적인 방향으로 변질시킨다. 혼자만의 힘으로 여기서 탈출하기는 어렵다. 본인은 물론 가족의 도움으로 반드시 정신건강의학과를 찾아 치료에 임해야 한다.

쾌락은 인생의 목표가 아니다. 우리의 목표는 일상의 행복이다. 쾌락 추구는 현실 도피와 맞닿아 있지만, 행복 추구는 현실 직면과 맞닿아 있다. 미국의 로버트 N. 프록터Robert N. Proctor 박사는 《우리를 중독시키는 것들에 대하여》에서 이렇게 조언한다.

"쾌락을 만드는 사람들은 만족의 즉각적인 전달에만 초점을 맞추면서 사실상 행복을 방해합니다. …… 행복은 쾌락을 자주 주입하는 데서 오는 것이 아니라, 기대하고 계획하고 노력함으로써 만족을 얻어내는, 더 연장된 시간 동안의 관여에서 옵니다."

Part 3

일상을 파괴하는 평범한 유혹들

끝없이 폭주하는 현대인의 최후

일 중독

Y 씨는 대기업의 IT 관련 계열사에 다니는 새내기 직장인이다. 모두가 선망하는 회사인데다 실적도 매우 좋고 전망도 꽤 밝은 분야라 그는 친구들 사이에서도 부러움의 대상이다. 그런데 요즘 그는 죽을 맛이다. 입사 후 6개월가량은 정말 좋았다. 월급은 국내 최고 수준이고 각종 복지와 지원 제도 또한 잘 돼 있어 눈이 휘둥그레질 정도였다. 그러던 어느 날 새로운 부장이 부임했다. 천국은 거기까지였다. 다른 부서에서 온 신임 부장은 Y 씨의 부서를 지옥으로 옮겨다 놓았다.

그는 일벌레였다. 체력 또한 타고나서 아무리 일해도 지칠 줄 몰랐다. 그는 사내에서 제일 먼저 출근하고 가장 늦게 퇴근했다. 주말은 물론 공휴일도 쉬지 않고 출근했다. 부장이 그러니까 차장, 과장, 대리 줄줄이 그의 눈치를 보며 따라하기 시작했다. 막내인 Y 씨 역시 몇 달째 쉬지 않고 야근, 특근을 이어가는 중이다.

하루는 도저히 일어나기 힘들 만큼 몸이 무거웠지만 겨우 일어나 출근 준비를 했다. 누적된 피로에 잠이 부족하니 아침 식사를 챙겨 먹을 겨를도 없었다. 막 현관문을 나서려는데 숨을 쉬기 어려울 정도로 가슴에 심한 통증이 밀려왔다. 그는 그 자리에 맥없이 쓰러졌다. 한참 있다 눈을 뜨니 병원 응급실이었다. 부모님이 깜짝 놀라 119구급차를 부른 것이다. 뇌와 심장에 이상이 없는지 여러 가지 검사를 한 뒤 담당의사가 Y 씨에게 증상을 설명했다.

"다행히 뇌와 심장에는 이상이 없습니다. 다른 곳에도 별 특이 사항은 없고요. 아마도 공황발작이 온 것 같으니까 정신건강의학과에서 치료받으셔야 할 것 같습니다."

누적된 과로와 스트레스 때문이라고 했다. 일벌레로 살아온 지난 몇 달이 주마등처럼 스쳐 지나갔다. Y 씨의 눈에서 눈물이 흘러내렸다. 옆에서 어머니가 그의 손을 꼭 잡아주었다.

“좋은 회사 다니게 되었다고 얼마나 기뻐했는데……. 공황발작이라고요? 결국 올 것이 오고야 만 거예요. 이렇게 일하다가는 정말 죽을 것 같아요. 회사 가는 게 너무 무서워요.”

워커홀릭이 넘치는 사회

Y 씨 회사의 부장 같은 사람을 흔히 ‘일 중독Workaholic’에 빠졌다고 한다. 어떤 행동이 건강을 해치고 일상생활에 지장을 초래할 것을 알면서도 이를 조절하거나 통제하지 못해 반복하고 싶은 욕구가 생기는 집착적 강박을 ‘중독’이라고 한다면, 자기가 하는 일에 과하게 몰두함으로써 중독 증세를 보이는 것은 일 중독이다.

인간은 일하는 존재다. 일해서 얻은 소득으로 먹고살고, 일하는 과정에서 가치와 보람을 얻으며, 함께 일하는 동료들과의 관계에서 우정과 신뢰를 느낀다. 이 모든 게 조화를 이룰 때 인간은 행복을 경험한다. 그런데 일 중독은 일에 매몰

되어 가치와 보람도, 우정과 신뢰도 느낄 수 없게 만들어버린다. 행복을 위해 일하는 게 아니라 일 때문에 행복이 깨지는 것이다.

건강한 생활 양식이어야 할 직업에 사생활을 희생시키면서까지 오로지 일만 하는 상태를 가리키는 일 중독은 의학 용어도 아니고 정식 병명도 아니다. 그러나 많은 현대인이 겪고 있는 사회 현상인 동시에 정신과 육체에 심각한 위험을 불러올 수 있는 병적 증상이다. 자본주의가 발달한 서구 사회에서는 치열한 경쟁이 일상화되면서 누적된 과로로 급작스레 사망하거나 과로를 견디다 못해 자살하는 등 일 중독이 큰 사회 문제로 대두한바 있다.

전 세계적으로 한국인의 노동시간은 길기로 유명하다. 2018년 조사에 의하면 경제협력개발기구OECD 36개 회원국 중 한국이 세 번째로 장시간 일하는 것으로 드러났다. 그나마 노동환경이 개선되면서 낮아진 수치다. 2019년 고용노동부의 《고용노동통계연감》에 따르면, 주5일 근무하는 근로자의 경우 일주일에 평균 2.3일 야근하는 것으로 나타났고, 3일 이상 야근한다고 응답한 사람들도 43퍼센트였다.

게다가 집에서 회사까지 출퇴근하는 시간은 경제협력개

발기구 회원국 가운데 제일 길었다. 회사는 도심에 있으나 근로자들은 도심에 있는 집이 너무 비싸 멀리 떨어진 외곽으로 나가 살 수밖에 없으므로, 통근하는 데 많은 시간을 소비하는 것이다. 오랜 노동과 잦은 야근에 시달리는 것도 모자라 만원 버스와 전철에 몸을 싣고 긴 시간 출퇴근해야 하니 피로가 누적될 수밖에 없는 환경이다.

대표적인 전자상거래 업체인 C사의 과다한 근무시간과 직원들의 과로사가 사회적 이슈로 부각한 적이 있다. 이 회사는 업무 특성상 심야와 새벽에 작업을 많이 하는 까닭에 일하는 시간이 길고 고되기로 소문나 있다.

2021년 봄에도 새벽 배송을 마친 40대 직원 한 명이 어느 고시원에서 숨진 채 발견되었다. 부검 결과 뇌출혈이 발생했고, 심혈관이 많이 부어오른 상태였다고 한다. 평소 지병이 없던 그의 돌연한 죽음은 전형적인 과로사라는 게 가족들의 주장이다. 지난 1년 동안 이 회사에서 일어난 과로사는 모두 6건이나 된다고 하며, 산업재해로 사망한 노동자는 9명에 달하고, 물류센터 현장에서 벌어진 산업재해는 무려 753건에 달한다고 한다. 소위 극한 직업 현장에서 일하는 근로자들은 위험과 피로에 이중으로 시달릴 수밖에 없다. 법적 보호에서 소외된 외국인 노동자들의 경우에는 더욱 심각하다.

40대 가장이 일 중독에 빠지는 이유

아침에 멀쩡한 모습으로 출근했지만, 저녁때면 영혼까지 탈곡 당한 채 파김치가 되어 퇴근하는 직장인들. 임대료에 생활비, 아이들 학비를 생각하면 한 시도 쉴 수 없어 새벽부터 한밤중까지 가게에 매달려 살아야 하는 자영업자들. 이렇게 매일 같이 자신을 소진하다 정말로 불에 다 타버린 것 같은 상태에 이르는 것을 번아웃 증후군Burnout Syndrome이라고 한다.

일에 지나치게 몰두한 결과 번아웃 증후군에 빠지면, 신체적, 정신적 스트레스가 누적되어 불안, 무기력증, 자기혐오, 분노, 의욕 상실 등을 경험하게 된다. 정열적으로 일하던 사람이 갑자기 피로감을 호소하면서 무기력해지는 것이다. 일하지 않으면 자신의 가치가 떨어진다고 생각하는 사람, 잠시라도 쉬고 있으면 잘리거나 뒤처질지 모른다고 불안해하는 사람, 성취욕과 목표 의식이 너무 높고 뚜렷한 사람, 이런 사람들이 번아웃 증후군에 이를 가능성이 크다. 바로 일 중독에 빠진 사람들이다. 과로 사회, 피로 사회는 수많은 일 중독자를 양산한다.

바로 일 중독자의 비중은 40대 남성이 가장 높다. 한창 왕성하게 일할 나이이기도 하고, 조직 내에서 허리 역할을 해야 할 나이이기 때문이다. 우리나라 근로자의 약 18퍼센트가 일주일 동안 60시간 이상 과도한 노동을 하며, 직장인의 약 85퍼센트가 스트레스로 번아웃 증후군을 경험한다고 한다. 완벽주의 성향이 있는 주부나 학생도 번아웃 증후군을 겪는다고 한다. 가사노동이나 공부를 지나치게 목표지향적으로 수행함으로써 일 중독 증세를 보이는 것이다.

일단 누구든 일 중독에 빠지면 자기 자신을 끊임없이 고갈시키면서 주변 사람들을 힘들게 하고 가족들을 괴롭게 만든다. 새벽에 나가서 한밤중에 들어오는 남편을 어떤 아내가 좋아하겠는가? 아이들은 아빠 얼굴을 한번 보기도 힘들다. 아빠는 그저 돈 벌어다주는 사람에 지나지 않게 되고, 결국은 가족 사이에 형성되어야 할 사랑과 공감은 자취를 감추고 만다.

얼마 전 한국개발연구원KDI이 발간한 자료를 보면, 우리나라의 국가 행복 지수가 경제협력개발기구 회원국 중 꼴찌 수준인 것으로 밝혀졌다. 한국보다 점수가 낮은 나라는 그리스와 터키뿐이었다. 세계 10위권 내의 경제 대국인 한국이 왜 행복 지수는 최하위권일까?

경제적으로는 예전보다 훨씬 살기 좋게 되었지만, 급격한 경제 성장과 사회 변화에 따른 치열한 경쟁과 갈등이 삶의 만족도와 질을 떨어뜨리는 원인이라고 할 수 있다. 경쟁에서 낙오되면 끝장이라는 강박감과 일할 수 있을 때 더 일해서 한 푼이라도 벌어놔야 노후에 힘들지 않을 거라는 압박감이 자신을 더욱 경쟁으로 내몰고 일 중독에 빠지게 만드는 것이다.

일 중독은 자발적 일 중독자와 타의적 일 중독자로 구분할 수 있다. 누가 시키거나 압박하지 않았는데, 그리고 그렇게 일을 많이 하지 않아도 사는 데 전혀 지장이 없을 만큼 여유가 있는데도 스스로 원해서 일에 파묻히는 경우다. 실제로 장사가 너무 잘되는 자영업자나 사업이 승승장구해서 즐거운 비명을 지르는 CEO는 거의 잠을 못 자면서 일에 몰두해도 전혀 피곤하지 않다고 한다. 보상회로에 의해 성취감을 맛볼수록 도파민이 분비되어 더 많은 쾌락을 느낄 수 있기 때문이다.

반면 위 사례의 Y 씨처럼 상사의 지시로 인해, 회사의 분위기에 의해, 누군가의 압력 때문에, 단지 먹고살기 위해 하기 싫지만 억지로 일해야 한다면 과로로 쓰러지거나 일 중독 증세를 보일 것이다. 원하지 않는 일을 지쳐 쓰러질 때까지 수행하는 것만큼 힘들고 곤혹스러운 일이 어디 있겠는가?

체면 차리지 말고 자신을 구하라

자기만의 라이프스타일을 추구하는 MZ세대의 직업의식을 관통하는 단어는 '워라밸'워크Work, 라이프Life, 밸런스Balance의 줄임말이다. 일과 삶의 균형이 중요하다는 의미다. 일은 나와 가족의 행복한 삶을 위해 필요하다. 일이 나와 가족의 삶을 불행하게 한다면 다시 생각해야 한다. 모두가 행복한 일터, 모두가 행복한 가정을 병립시키기 위해서는 그만한 노력이 따른다.

회사는 직원을 이익을 창출하는 도구로 여길 게 아니라 공동체의 행복을 가꿔가는 가족으로 여겨야 한다. 기업은 사원의 건강과 사기 진작을 위한 다양한 제도나 프로그램을 운영하고, 탄력적 근무제도나 보육과 간호 지원, 각종 교육과 휴가 제도 등을 정비해야 한다. 직원의 건강이 곧 회사의 건강이고, 회사의 건강이 곧 국가의 건강이다. 출퇴근이 과로와 죽음 사이를 오가는 길이 되게 해선 안 된다.

케빈 브래독Kevin Braddock이라는 남자가 있다. 그는 세계적인 잡지 〈지큐〉, 〈에스콰이어〉 등에서 기자로 활약했다. 일에 대한 열정과 집념이 강했던 그는 화려한 경력을 쌓아간 끝에 편집장 자리에 올랐다. 잡지 편집장은 마감이라는 목표를 향해 달리는 전차 같은 자리였다. 정신없이 일에 매달렸다. 그러던 어느 날 모든 일상이 한순간에 무너지기 시작했다. 번아웃 증후군에 빠진 것이다. 습관적으로 몸이 아프고, 스트레스에 시달리며, 삶의 문제들에 압도되어 우울증과 불안증세가 심각해졌다.

술에 잔뜩 취해 자신을 파멸시키고 있는 일을 그만두겠다며 사직서를 쓰고 사무실을 뛰쳐나온 날이었다. 불쑥 알 수 없는 공허감이 찾아와 자살을 시도했다가 친구들 덕분에 극적으로 살아남았다. 그는 5년 동안 정신과 병원에 다니며 약물치료와 심리상담을 꾸준히 받은 끝에 회복했다. 자전적 이야기를 담은 책《나도 나를 어쩌지 못할 때》에서 그는 자신감 넘치는 삶을 살다가 하루아침에 무너지는 사람들에게 이렇게 조언한다.

> 우리는 왜 도움을 청하지 않을까? 사실 어려울 것 없이 꽤 간단한 일이다. 입을 벌려 "도움이 필요해요" 또는 "좀 도와줄래요?"라고 말하면 되니까. 직접적으로 솔직하게 요청하면 된다. …… 말하기는 나 자신을 넘어 바깥세상으로 들어가는 행위로 자신을 실제로 존재하게 하며, 나라는 존재가 남들에게 알려지고 내 소리가 들리게 한다. 그 반대가 수치심이다. 말이 없게 만들고, 앞서 열거한 도움을 청하지 않는 이유의 배후에서 힘을 발휘한다.

그는 자신이 책에서 한 이야기를 한 문장으로 요약했다. "체면을 차리지 말고 자신을 구제하라."

힘들면 힘들다고, 아프면 아프다고, 죽을 것 같으면 죽을 것 같다고, 쉬고 싶으면 쉬고 싶다고 말하라는 것이다. 자신의 상태를 정확히 알리고 도움을 요청하라는 이야기다. 사람들에게 나약하게 보일까 봐, 상사나 회사의 눈치가 보여서,

웃음거리가 되지 않을까 걱정돼서, 자신이 건사해야 할 가족들 얼굴이 아른거려서 아무리 힘들고 괴로워도 말하지 않고 버티다 보면 언제 케빈 브래독처럼 쓰러질지 모른다. 수치심과 침묵은 서서히 나를 망가뜨린다. 그의 조언처럼 체면보다 소중한 건 나 자신이다. 나를 구제하는 것보다 더 중요한 건 없다.

시끄러운 세상에서 나를 지키는 무기

욕 중독

"아, 씨발! 진짜 개빡치지 않냐? 존나 웃겨!"

"맞아, 걔 정말 개쩐다니까? 미친 새끼야."

"그 체육 선생도 재수 없지 않냐? 완전 개꼰대야."

"존나 밥맛이야."

어느 날 버스를 탔다가 듣게 된 두 여중생의 대화다. 욕설과 비속어가 거칠게 뒤섞인 말의 파편에 가슴이 찔린 듯 움찔했다. 10대 청소년들의 대화 속에서 욕설과 비속어가 차지하는 비율이 상당하다. 욕설과 비속어를 쓰지 않으면 대화를 할 수 없을 정도다. 예전에는 '개'라는 단어가 상대방을 욕하는 데 사용됐는데, 요즘은 워낙 많이 쓰다 보니 일상적인 접두사로 사용되는 듯하다. 긍정적인 의미를 담은 말에도 버젓이 '개'라는 접두사가 들어간다. '개좋아', '개멋있어' 같은 형태다.

타인의 인격을 무시하고 저주하는 경박한 언어가 일상을 지배한다는 건 우리 사회가 그만큼 정신적으로 병들어 있다는 것을 보여준다. 얼굴과 얼굴을 대하면서도 거침없이 튀어나오는 상스러운 언어는 비대면과 익명성이라는 가면 혹은 안전장치를 획득한 뒤에는 더욱 노골적으로 폭력화된다. 인터넷에는 온갖 욕설과 악성 댓글이 판을 친다.

분노를 생산하는 사회

지난 2019년 배우 겸 가수로 활동하던 설리는 자신을 겨냥한 악성 댓글에 시달리다 못해 스스로 목숨을 끊었고, 같은 해 역시 배우 겸 가수로 활약하던 구하라도 근거 없는 악성 댓글 때문에 심각한 고통을 당한 끝에 극단적인 선택을 하고 말았다. 둘은 친구 사이였다.

"왜 이렇게 욕을 하는 걸까?"

얼마 전 자신에게 쏟아지는 악성 댓글로 괴로워하다 스스로 세상을 등진 배구선수 고유민이 생전에 촬영한 마지막 인터뷰에서 눈물로 하소연했던 말이다. 그녀를 끝까지 괴롭혔던 건 이름도 얼굴도 알 수 없는 불특정 다수의 광기 어린 욕설과 비난이었다. 연예인들과 스포츠 선수들에 대한 이런 무차별적인 악성 댓글은 이들 외에도 여러 명의 목숨을 앗아갔다.

인터넷상에서 악성 댓글 못지않게 분노를 유발하는 요인은 특정 기사나 뉴스 아래 '화나요'와 '좋아요'를 누르도록 만든 불필요한 여론 수렴 창구다. 은연중에 모든 사람은 '화나요'와 '좋아요' 가운데 하나를 고르도록 강요받음으로써 화를 내거나 아니면 즐겁거나 둘 중 하나를 선택해야만 하는 것이다. 중간도 없고 이견도 없다. 내 편 아니면 네 편, 아군 아니면 적군뿐이다.

우리 사회에 분노가 넘쳐나고 있다. 주체할 수 없는 분노의 화살은 엉뚱한 희생자를 향해 향방 없이 날아간다. 어떤 의미에서 우리는 분노의 피해자인 동시에 가해자가 될 수밖에 없는 현실 속을 살아가는 것 같다. 전업 작가인 정지우는 《분노 사회》라는 책을 통해 한국 사회 곳곳에서 분노가 들끓고 있다고 진단한다. 분노란 생존과 자기 보호를 위해 만들어진 감정이었지만, 현대인들은 생존과는 거의 관련 없는 방식으로 분노를 생산한다는 것이다.

> 만성적 분노를 품고 사는 사람들은 늘 분노의 씨앗을 찾기 위해 두리번거린다. 그들은 자기에게 주어진 시간을 사랑하는 법을 배우려고 하거나, 삶의 의미를 찾고자 하거나, 자기 정체성의 수립에 관심을 가지기보다는, 이 세계 전체가 절망으로 가득 차 있다는 신호를 찾기 위해 노력한다. 그들은 내심 우리 사회가 절망적이라는 사실을 알면 알수록, 나아가 전 세계가 절망을 향해가고 있다는 사실을 알수록 기뻐한다. 그들에게 이 사회에 여전히 존재하고 있는 다양한 가능성은 거추장스러운 허구일 뿐이다. 그들은 오직 절망과 좌절만을 믿으며 거기에 중독되고 자기 세계 전체를 부정적 인식으로 덮어씌운다.

분노는 슬픔이나 기쁨처럼 모든 사람에게 나타나는 자연

스러운 감정이다. 그렇지만 인간은 동물과 달리 자신의 분노를 여과 없이 표출하지 않는다. 감정을 다스릴 줄 아는 것이다. 교육과 경험을 통해 사회 속에서 더불어 살기 위해서는 참고 양보하고 배려해야 한다는 걸 알게 되는 것이다. 이런 인식이 있어야 건강한 사람이고, 이런 사람들이 다수인 사회가 건강한 사회다.

분노를 참거나 조절하는 게 어려워 과도한 방식으로 표출함으로써 정신적, 신체적, 물리적 피해를 경험하는 것을 분노조절장애라고 한다. 정신의학 분야에서 정식으로 사용되는 진단명은 아니지만, 부당함, 좌절감, 무력감과 같이 부적응적인 형태가 계속될 경우, 격분이나 울분 등으로 이어져 개인의 의지만으로는 조절과 통제가 어려워질 수 있다. 호르몬 이상 분비, 뇌 기능 이상, 어린 시절의 학대, 외상의 지속적 노출 등 다양한 원인을 찾을 수 있다. 치료를 위해서는 개인적 성찰이나 긴장 해소를 위한 노력도 필요하지만, 정신건강의학과 전문의를 찾아 상담한 후 약물치료와 인지행동치료 등을 병행하는 것이 바람직하다.

욕은 분노를 표현하는 가장 직접적인 방식 가운데 하나다. 화가 많이 났을 때 상대방을 향해 혹은 혼자서라도 큰소리로 욕을 내뱉으면 속이 시원하고 가슴이 뻥 뚫리는 것 같다. 하지만 욕은 하는 사람과 듣는 사람 모두에게 물리적 폭력 이상의 치명적 상처를 남긴다.

서울대학교 심리학과 곽금주 교수팀이 욕을 하지 않는 아이들과 욕을 자주 하는 아이들을 비교해 본 결과, 욕을 많이 하는 아이들이 그렇지 않은 아이들보다 인내심과 계획성이 부족하고 자기 제어 능력이 떨어지는 특징을 보였다고 한다. 욕을 많이 하면 어휘력과 사고력이 저하되며, 자아존중감, 자기 통제력, 공감 능력 또한 낮아진다.

욕은 분노한 상태에서 나온다. 극심한 스트레스를 받거나 충격과 분노가 일어나면 체내에 노르아드레날린이 분비된다. 분노의 호르몬으로 불리는 이 호르몬은 위험한 대상과 맞서 싸우거나 도망갈 수 있도록 몸의 상태를 바꾸는 신호를 보낸다. 생존을 위해 분비되는 것이다. 이 호르몬이 과다하게 분비되면 피부와 소화기 쪽 혈류가 감소하고, 환경 적응

능력을 떨어뜨려 수명을 단축한다. 필수적인 활동에 에너지를 쏟지 못해 건강이 나빠지는 것이다.

미국 하버드대학교 의과대학 마틴 타이커Martin H. Teicher 교수는 색다른 연구를 진행했다. 학창 시절 또래 집단에서 언어폭력을 당한 사람들의 뇌에 어떤 변화가 생겼는지를 조사한 것이다. 결과는 놀라웠다. 언어폭력을 당한 사람들의 뇌는 보통 사람들의 뇌와 달리 뇌량과 해마, 전두엽이 상당히 쪼그라들어 있었다.

전두엽은 이성의 중추로 청소년기에 성장하기에 이때 제대로 발달하지 못하면 이성이 본능을 통제하지 못해 충동적인 행동을 일으킬 수 있다. 뇌량은 좌뇌와 우뇌의 연결통로로서 이 부분이 손상되면 어휘력과 사회성에 문제가 생긴다. 해마는 감정과 기억을 담당한다. 해마에 문제가 있으면 쉽게 불안해지고 우울증이 찾아올 확률이 높다. 자아분열 증상이 나타날 수도 있고, 심할 경우 자살 충동까지 느낄 수 있다. 뇌가 이렇게 위축된 이유는 강한 스트레스 호르몬인 코티졸이 뇌에 상처를 입혔기 때문이다.

"인간에게는 두 개의 눈과 두 개의 귀가 있는데, 혀는 하나뿐이다. 보고 들은 것의 절반만 말하라는 뜻이 아닐까. 아무리 화가 났을 때라도 말을 함부로 쏟아버리지 말라. 말은 업이 되고 씨가 되어 그와 같은 결과를 가져온다. 결코 막말하지 말라. 둘 사이에 금이 간다."

법정 스님이 남긴 말이다. 욕은 내뱉는 당사자나 듣는 상대방 모두에게 마음의 상처를 줄 뿐 아니라 몸에도 좋지 않은 결과를 남긴다. 욕을 입에 달고 사는 사람이 있다면, 빨리 이를 고치기 위해 노력해야 한다. 10대의 경우에는 부모나 교사 등 주변 어른들의 도움이 필요하다.

상대를 존중하는 말, 아름다운 말, 칭찬하는 말이 습관이 되려면 어떻게 해야 할까? 먼저 폭력적인 영화나 드라마 등을 보지 않도록 한다. 폭력은 전염되는 속성이 있다. 욕은 엄연한 언어 폭력으로, 특히 또래집단에서 강력한 전염성을 갖는다. 욕도 자꾸 들으면 익숙해지므로, 언어 폭력에 노출되지 않도록 최대한 주변 환경을 정돈한다.

아름다운 우리말이 가득한 시집이나 오랜 세월에 걸쳐 검증된 명작 소설 등을 자주 읽는다. 마음에 감동을 주는 구절에 밑줄을 긋고 외우면 더 좋다. 언어생활은 습관이다. '언어

일기'를 쓰는 것도 괜찮은 방법이다. 저녁때 하루를 돌아보며 내가 했던 말들을 기억해 좋았던 말, 좋지 못했던 말을 적어 보는 것이다. 좋았던 말은 자꾸 입에 붙도록 되새기고, 좋지 못했던 말은 다시는 쓰지 않도록 억지로라도 애를 쓰는 게 바람직하다.

고기는 언제나 옳거든요

육류 중독

"언니는 어릴 때부터 고기를 좋아했다. 바짝 마른 그녀의 얼굴이 젓가락을 들이미는 모습은 어딘지 한 번도 본 적이 없는 짐승을 연상시킨다."

김이태의 소설 〈식성〉은 이렇게 시작된다. 서로 너무 다른 식성을 가진 두 자매를 통해 변해가는 세상과 인생의 모습을 상징적으로 그리고 있는 작품이다. 동생의 눈으로 관찰한 베일에 싸인 듯한 언니의 유별난 식성은 특이함을 넘어 그로테스크하기까지 하다.

"밥상 위에 오른 김치찌개에서 돼지고기만을 뒤져 먹는

그녀. 떡국이 올라와도 그 위에 얹힌 양념 고기만 덜어 먹고 숟가락을 놓아버리는 그녀."

"언니는 맛있겠다고 하고는 김치나 샐러드 같은 것은 거들떠보지도 않고 고기 한 덩어리를 얹어 겉이 익기가 무섭게 가위로 대강 잘라 먹기 시작했다. …… 그녀는 4인분을 거의 혼자 해치웠는데도 트림은커녕 박카스 한 병 마신 사람보다 더 가뿐해 보였다."

주인공의 언니는 태어날 때부터 고기를 탐하는 선천적인 육식주의자였는데, 그냥 육식주의자라고 하기에는 정도가 너무 심해서 육식증 환자라고 불러도 좋을 지경이었다고 말한다. 우리 주변에는 소설 속 언니 같은 사람이 종종 있다. 고기를 좋아하는 수준을 넘어 끼니때마다 고기를 찾고, 고기가 없으면 식사 자체를 하지 않으려는 사람들이다. 하다못해 멸치 조림이나 새우젓 같은 비릿한 반찬이라도 있어야 숟가락을 든다.

"아침에 일어나자마자 삼겹살을 구워 먹어요. 상추쌈 같은 걸로 싸 먹지 않죠. 그냥 고기만 익혀서 먹는 거예요. 고기로 배를 든든히 채워야 하루를 개운하게 시작할 수 있어요."

텔레비전에 출연한 어떤 연예인이 한 말이다. 대개 아침에 일어나 씻고 출근하기에도 시간이 빠듯해 아침밥을 거르거나 간단하게 먹기 마련이다. 아침밥을 꼭 챙겨 먹는 사람이라 해도 간편식으로 먹지 오첩반상이나 칠첩반상을 고집하지는 않는다. 한창 성장기인 아이들이나 입시를 앞둔 수험생의 경우에는 약을 먹듯 아침밥을 챙겨 먹기도 한다.

그런데 아침부터 고기를 구워 먹다니 깜짝 놀랄 일이다. 얼마나 고기를 좋아해야 일어나자마자 삼겹살을 구워 먹을까? 이렇게 고기만 먹어도 정말 건강에 지장이 없을까?

과도한 육류 섭취가 초래하는 일

지나친 육식이 건강에 해롭다는 건 여러 연구 결과로 이미 잘 알려져 있다. 육류 섭취가 암 발병에 결정적 영향을 끼치기도 한다. 절임 육류와 붉은색 육류를 많이 섭취한 사람은 직장암에 걸릴 위험이 20~30퍼센트 증가한다. 붉은색 육류를 하루에 약 42그램 이하로 섭취하면 사망률이 남성은 9.3퍼센트, 여성은 7.6퍼센트 감소한다는 연구 결과도 있다.

대장암은 북미와 유럽 등 선진국에서 가장 높은 발생률을 보이고, 아프리카나 아시아 등에서는 상대적으로 발생률이 낮다. 환경적 요인, 즉 식습관 때문이다. 동물성 지방과 포화지방, 가공식품과 가공육의 과다 섭취가 대장암 발생률을 높인 것이다. 영국 옥스퍼드대학교가 4년 동안 50만 명을 대상으로 조사한 바에 따르면, 적색육과 가공육을 매주 2회씩 섭취했을 때 대장암 발생 위험이 18퍼센트가 증가했고, 4회씩 섭취했을 때 42퍼센트가 증가하는 것으로 드러났다.

대장암은 우리나라에서도 급격히 발생률이 증가하고 있다. 해마다 국내 암 발생률 순위 2~3위에 오르곤 한다. 세계보건기구 자료에 의하면, 한국의 대장암 발병률은 10만 명당 45명으로 세계 1위에 해당한다. 직장 동료들끼리 퇴근 후 소주 한 잔 마시며 자연스럽게 삼겹살이나 곱창 등을 구워 먹는 게 일상적 풍경이다. 이렇다 보니 중년 남성들의 대장암 발병률은 갈수록 높아질 수밖에 없다.

식생활의 서구화와 고령 인구의 증가로 대장암 발병률은 점점 더 늘어날 것이라는 전망도 나온다. 동물성 지방을 많이 섭취하면 간에서 콜레스테롤 및 담즙산의 생성과 분비가 올라가 대장 내 담즙산의 양이 많아지고, 대장 내 세균들이

이들을 분해하여 2차 담즙산, 콜레스테롤 대사 산물과 독성 대사산물을 만들어낸다. 바로 이것들이 대장 세포를 상하게 해 발암물질에 대한 감수성을 증가시키는 것이다.

이 같은 연구 결과가 속속 알려지면서 고기를 먹지 않거나 육류 소비를 줄이려는 사람이 많아졌지만, 실천은 쉽지 않다. 오히려 육류 섭취와 소비는 증가 추세다. 미국 농무부 통계를 보면 2011년 미국인은 1951년보다 육류를 1인당 약 28킬로그램이나 더 섭취했다.

질병관리본부가 실시한 국민건강영양조사에 따르면, 한국인의 채소 섭취량은 1998년 287.8그램에서 2018년 248.1그램으로 14퍼센트 줄었고, 과일 섭취량도 1998년 197.3그램에서 2018년 129.2그램으로 35퍼센트 줄었으나 육류 섭취량은 1998년 67.9그램에서 2018년 129.8그램으로 무려 91퍼센트 늘어났다. 의사들의 거듭된 경고에도 불구하고 육류 섭취량은 줄어들기는커녕 점차 늘고 있다. 왜 이렇게 고기 섭취를 끊거나 줄이기 힘든 것일까? 고기에 어떤 중독 성분이 있는 건 아닐까?

고기를 먹으면 왜 행복감을 느끼는가

불판 위에서 노릇노릇 익어가는 고기를 보면 배가 부른데도 젓가락을 놓지 못할 때가 많다. 여기에는 나름의 과학적 근거가 있다. 미국 캘리포니아대학교 약물연구소가 발표한 논문에 따르면, 우리 뇌에 있는 엔도카나비노이드Endocannabinoids라는 화합물로부터 오는 신호가 체내의 지방 섭취를 조절한다. 이 화합물은 몸에서 분비되는 물질로 대마초나 마리화나 등 마약을 투여할 때와 유사한 반응을 일으킨다. 즉 통증을 가라앉히고 기분을 즐겁게 하며 걱정과 근심이 사라지게 한다. 엔도카나비노이드가 증가하면 중독될 가능성이 있다는 이야기다.

쉽게 말해 한 번 지방을 섭취하면 체내에서 지방이 활발하게 분비되면서 지방을 더 먹고 싶게 만든다는 것이다. 유전이나 환경적 요인 등으로 만들어진 복잡한 뇌의 반응일지도 모른다. 고기를 먹으면 포만감과 더불어 행복감을 느끼는 건 이런 연유에서다.

과학 저널리스트인 마르타 자라스카Marta Zaraska는 《고기를 끊지 못하는 사람들》이라는 책에서 우리가 고기를 끊지 못하는 원인이 중독 때문이라고 진단한다. 그는 고기 중독의 원인을 사람들이 누구나 쉽게 고기를 먹을 수 있게 된 데서 찾는다. 언제 어디서든 돈만 있으면 양질의 고기를 실컷 먹을 수 있는 세상에서는 좀처럼 고기 중독에서 벗어나기 힘들다.

게다가 축산과 가공과 저장 등 각종 기술이 발전하고, 정부의 보조금으로 낮은 가격을 유지하며, 유통의 발달로 신선한 육류가 각 가정까지 빠르게 배달된다. 이 상황에서는 부와 권력의 상징인 고기를 먹어야 건강해질 수 있고, 식탁이 풍성해 보인다는 뿌리 깊은 인식을 의학계의 여러 부정적인 연구 결과들이 넘어서기 어렵다.

인간의 고기 선호 역사는 인류의 역사 그 자체만큼이나 길다. 성경에 의하면, 인류 최초의 먹거리는 채소와 과일이었다. 에덴동산에는 치킨이나 삼겹살이 없었다. 그러다가 아담과 하와는 신의 명령을 어겨 에덴동산에서 쫓겨난다. 그러고도 뉘우침 없이 대를 이어 가며 온갖 죄악을 저지르자 신은 자기 손으로 만든 인간들을 전부 멸망시키려는 계획을 세운다. 심판은 홍수로 세상을 쓸어버리는 것이었다. 이때 등장한 사람이 의인으로 불리는 노아다. 노아와 그 가족은 거대한 방주를 지어 들어감으로써 홍수 심판의 대재앙에서 구원받았다.

인류의 두 번째 시조가 된 노아에게 신이 내린 선물이 바로 육식이다. 고기를 먹을 수 있게 된 것이다. 고기와 더불어 등장한 게 술이다. 홍수 심판으로부터 유일하게 목숨을 유지했던 노아는 긴장이 풀린 데다 새롭게 주어진 음식인 고기에 술을 곁들이면서 식탐에 푹 빠져들고 말았다. 그로 인해 인류에게 또 한 번의 시련이 닥친다는 게 성경의 이야기다.

이후 인류의 역사는 육식의 역사였다고 해도 과언이 아니다. 전쟁과 약탈의 역사는 육식의 역사다. 채소만 먹으면서 전쟁을 치른 사례는 없다. 피를 부르는 전쟁에서 사기를 진작시키는 데는 고기만 한 게 없다. 욕망과 탐욕의 역사도 육식의 역사다. 더 많이 소유하고 더 많이 누리려는 인간의 식탁에는 항상 기름진 음식이 가득했다. 고난과 가난의 세월을 이어온 한국인의 로망 역시 언제나 원 없이 쌀밥에 고깃국을 먹는 것이었다.

채식은 약한 나라, 궁핍한 백성, 허기진 배를 채우기 위한 궁여지책의 음식이었다. 초근목피는 죽지 못해 살아가는 힘없는 하층민의 밥상이었고, 주지육림은 한껏 부귀영화를 누리는 특권층의 밥상이었다. 이 같은 오랜 인류의 DNA는 아무리 채소와 과일이 몸에 좋고 육식이 건강을 해친다 해도 고기 굽는 냄새와 소리에 침샘이 고이게 만드는 원초적 본능이다.

내가 먹은 음식이 나를 만든다

그렇다면 육식이 좋은가, 아니면 채식이 좋은가? 인간의 몸과 자연과 환경에 육식이 더 이로운가, 채식이 더 이로운가? 이 논쟁은 오래전부터 지금까지 끊임없이 계속되고 있다. 미국의 문명비평가인 제러미 리프킨Jeremy Rifkin은 그의 저서 《육식의 종말》에서 이렇게 주장한다.

> 수백만 명의 인간들이 곡식이 부족해 기아에 시달리는 와중에도 선진국에서는 사료로 사육된 육류, 특히 쇠고기 과잉 섭취로 인해 생긴 질병으로 그보다 더 많은 사람이 목숨을 잃고 있다. 미국인, 유럽인, 일본인들은 곡물로 사육된 쇠고기를 탐식하고 있으며 그 때문에 '풍요의 질병', 즉 심장발작, 암, 당뇨병 등에 걸려 죽어가고 있다.

그는 "지구의 건강을 회복시키고 날로 증가하는 인구를 먹여 살리는 데 일말의 희망을 품을 수만 있다면, 지구상에서 축산 단지들을 해체하고 인류의 음식에서 육류를 제외하는 것이야말로 향후 수십 년 동안 우리가 이루어야 할 중요한 과업"이라는 말까지 남겼다.

자연주의자, 생태주의자로 평생 조화로운 삶을 살았던 헬렌 니어링Helen Nearing 역시 말했다. "동물들은 우리의 형제들이다. 우리 곁에서 함께 성장하는 지구상의 다른 종족이다. 동물들은 열등하지 않으며 형태가 다른 자아들이다."

육식과 정신건강과의 관계는 어떨까? 채식주의자는 정신적으로 건강하고 맑은 영혼을 소유하고 있으며, 육식주의자는 정신적으로 덜 건강하고 맑지 않은 영혼을 소유하고 있을까?

미국 서던 인디애나대학교 연구팀에 따르면, 채식주의자는 육식주의자보다 정신적으로 문제가 있을 가능성이 더 크다고 한다. 우리가 알고 있는 기존 상식과는 전혀 다른 결과다. 연구팀은 1997년부터 2019년까지 발표된 18건의 연구 사례를 비교한 결과, 우울증과 불안 관련 증상을 조사한 14건의 논문 중 7건의 논문에서 "육류 소비를 피하는 사람이 우울증 및 불안 위험이 크다"라고 2건은 반대로 "고기를 섭취하는 사람이 우울증과 불안 위험이 더 크다."라는 결과가 나왔다고 밝혔다.

또한 자해를 조사한 3건의 논문은 모두 "육식주의자보다 채식주의자의 자해 비율이 높다"라는 결과가 나왔다. 호주 여성 9,113명을 대상으로 진행한 연구에서는 채식주의자가 육식주의자보다 자해 시도 비율이 3배나 높게 나타났으며, 미국 청소년 4,746명을 대상으로 한 연구에서도 채식주의자의 자살 시도 비율이 2배 이상 높은 것으로 밝혀졌다. 반면 스트레스에 주목한 4건의 연구와 삶의 질에 주목한 2건의 연구에서는 육식주의자와 채식주의자 사이에 유의미한 차이가 없었다고 한다.

이런 결과만 가지고 육식과 정신건강 사이의 인과관계를 특정하기는 어렵다. 연구팀을 이끈 우르슈카 도버섹Urska Dobersek 교수는 여러 한계에도 불구하고 몇 가지 추정은 가능하다고 했다. "예를 들면 정신질환을 앓고 있는 사람은 자가 치료의 일종으로 식사 내용을 바꿀 수 있습니다. 엄격한 채식 다이어트는 영양소 결핍으로 이어져 정신질환 위험을 높이기도 하죠. 그리고 섭식장애를 앓는 사람은 본인의 상황을 감추기 위해 채식을 이용할 가능성이 있습니다. 동물의 고통에 민감하거나 이에 주목하는 사람은 우울증과 불안감을 느끼기 쉽죠."

이와 반대되는 의견도 있다. 《무지개 원리》의 저자로 유명한 서울대 공대 출신의 차동엽 신부는 생전에 채식만 고집했다. 그는 채식이 영성을 지탱하는 주춧돌이라고 주장한다.

> 많은 청소년 범죄와 총기 난사 사건 같은 반인륜적인 사건의 주범이 육식이라는 것을 알게 되었다. 1970년대 미국 의회에서 청소년의 정서장애로 인한 범죄율 증가를 연구하는 과정에서 햄버거, 정제 식품, 인스턴트, 설탕, 특히 고기 등이 문제라는 것이 보고된 바 있다. 이런 사실들을 공부하면서 채식과 거친 통곡식이 건강에 좋다는 것을 알게 되었고 나는 이를 실천하고 있다. 지금 내 머리는 새벽의 이슬과 같다. 내가 조금 탁하게 먹으면 머리에 안개가 낀다. 성품이 곧 음식이다. 영성과 음식은 밀접한 관계에 있다.

영양학자들에 의하면 '영양 전이Nutrition Transition'에는 네 가지 단계가 있다. 첫 번째는 사냥과 채집으로 음식을 모으는 단계고, 두 번째는 농업으로 시작되는 기근 단계이며, 세 번째는 농업이 개선되어 식량이 증가하는 기근 감퇴 단계다.

마르타 자라스카에 따르면, 오늘날 서양의 식단은 네 번째인 퇴행성 단계에 도달해 있다. 먹을 것이 넘쳐나는 동시에 뒤죽박죽 뒤섞여 있다. 그는 우리가 다섯 번째인 행동 변화 단계로 갈 것이라고 말한다. 육식을 줄이고 과일, 채소, 곡물을 섭취하는 단계다. 고기를 아예 먹지 않는 게 아니다. 육식 섭취를 줄이고 채식 섭취를 늘리는 것이다. 고기 중독에서 벗어나 나와 가족과 사회와 인류의 건강을 도모하면서 지구의 건강까지 생각하는 식단을 추구해야 한다는 이야기다.

밀가루와 MSG의 강력한 유혹

라면 중독

지하철역 벤치에서 한 남자가 깨어난다. 해리성 기억상실에 걸린 그는 자신의 과거를 기억하지 못한다. 주머니에는 자신을 증명할 그 무엇도 남아 있지 않다. 그가 한 여자를 만난다. 서하숙이다. 그녀는 라면 전문가다. 라면에 관해 백과사전 같은 지식을 소유한 여자다. 그는 이 여자와 동거에 들어간다. 그러다 그는 그녀를 통해 기억 이식 사이트와 기억 이식 중매자 M을 알게 되고, 기억 이식을 거쳐 이명구라는 새로운 인물의 기억을 가지게 된다.

윤대녕의 소설 《사슴벌레 여자》 줄거리다. 작가는 타인의 기억을 이식받아 자아와 타아가 공존하는 분열된 삶을 사는 사이보그적 인간의 전형을 그려냄으로써 점점 디지털화되고 기계화되는 현대인들의 고독과 그것을 방관하기만 하는 현대사회의 비극을 폭로한다. 이를테면 이 소설은 첨단 문명을 살아가는 현대인들의 외롭고 쓸쓸한 자화상이다.

내가 누구인지를 타인에게 증명하기 위해서는 무엇이 필요할까? 신분증? 신용카드? 스마트폰? 만약에 그 모두가 없다면 내가 누구인지를 어떻게 알릴 수 있을까? 작가가 던지는 질문들이다.

특히 흥미를 끄는 건 서하숙이라는 여자다. 유난히 키가 작은 그녀는 고독의 냄새가 가득한 다섯 평 남짓한 월세방에 산다. 그녀는 삼시 세끼 라면만 먹는다. 팥라면, 허니머스터드라면, 라면크로켓, 발렌타인라면 등 그녀가 요리하는 라면의 세계는 무궁무진하고 휘황찬란하다. 아무리 그래도 매일 라면만 먹고 사는 게 과연 가능할까? 그녀는 라면 말고는 다른 어떤 음식도 받아들이지 못한다. 이른바 장협착증으로 인한 특이 체질이다. 열여섯 살 때 거식증에 걸려 괴로워하다가 라면을 먹기 시작하면서 문제없이 살게 된 여자다.

화학조미료와 탄수화물의 치명적 유혹

특정 음식에 중독된 사람, 그중에서도 라면에 중독된 사람이 의외로 많다. 삼시 세끼를 라면으로 해결하지는 않더라도 최소 하루 한 번은 라면을 먹어야만 직성이 풀리는 사람도 있고, 매일 밤 라면을 먹지 않으면 도저히 잠을 잘 수 없다는 사람도 있다. 한국인들의 라면 사랑은 유별나지만, 중독이라고 이름 붙이기에 손색이 없는 일부 극성 마니아들이 있다. 이처럼 라면에 중독되는 이유는 무엇이고, 이들에게는 어떤 증상이 나타날까?

라면을 먹지 않으면 금단 증상까지 느끼는 것은 라면수프에 들어 있는 인공조미료, 즉 MSG MonoSodium Glutamate, 글루탐산나트륨 때문이다. 이는 단백질 아미노산의 일종이자 감칠맛을 내는 글루탐산이 물에 녹도록 나트륨을 결합해 만든 것이다. 다시마를 오랫동안 끓였을 때 얻을 수 있는 감칠맛을 내지만, 다시마가 아닌 사탕수수로 만든다. 식품의 풍미를 증진하는 효과가 있는 MSG는 많은 가공식품에 식품 첨가제로 포함되어 있다.

글루탐산은 뇌를 자극해서 신경전달에 영향을 주는 물질

이다. 흥분성 수용체에 결합하는 형태라서 흥분성 신경전달 물질이라고도 한다. 이는 뇌의 발달에 필수적이지만, 지나친 흥분은 세포의 자발적인 사멸과 같은 나쁜 영향을 미치게 된다. 그래서 적당한 정도로 균형을 유지해야 하는데, 균형이 깨지게 되면 특정 뇌 부위의 신경 가소성에 문제가 발생한다. 측두엽과 측좌핵의 도파민 관련 부위나 피질 선조체 회로의 신경 가소성에 문제가 발생할 경우, 다양한 중독을 유발할 수 있다.

라면 중독을 유발하는 또 하나의 요소는 탄수화물이다. 단백질, 지방과 더불어 3대 영양소인 탄수화물은 우리 몸에 절대적으로 필요하지만, 필요 이상으로 많이 섭취할 경우 건강을 해치는 주범으로 돌변한다. 탄수화물은 당으로 바뀐다. 당을 과도하게 섭취하면 뇌와 행동에 변화를 유발할 수 있다. 뇌 영상 연구에서 당 역시 코카인 같은 약물을 복용할 때 활성화되는 뇌 부위를 활성화한다는 결과가 있다. 아울러 동일한 부위를 활성화하기 위해 더 많은 양을 필요로 하는 과정에서 내성이 생긴다고 알려져 있다. 라면이나 빵 같은 식품은 탄수화물 과잉 섭취의 주요한 통로가 된다. 정제된 탄수화물의 달콤함에 빠져 끊임없이 이를 체내로 공급해야만 직성이 풀리는 증상이 바로 탄수화물 중독이다.

MSG는 중독과 관련된 문제 이외에도 신진대사에 관여하는 부위나, 에너지 균형을 유지하는 곳에 많은 영향을 미친다. 인슐린 저항성이나 렙틴과 같은 비만과 관련된 호르몬 작용에 문제를 유발하고, 각종 염증 유발 물질을 유도한다. 여기에 과잉 섭취된 탄수화물이 축적되면, 대사증후군 문제 또한 피하기 어려워 다양한 질환을 겪게 된다.

MSG와 탄수화물은 앞서 언급한 것처럼 중독성이 강하다. 입맛을 자극해 몸에 좋지 않은 걸 잘 알면서도 자꾸 먹게 된다. 건강에 좋지 않은 음식을 끊지 못하고 계속 섭취함으로써 몸에 이상이 생기는 중독 증상은 정신적 문제로 귀결된다.

국민 음식이 국민을 병들게 한다

어떤 일을 몹시 즐겨서 거기에 빠지는 걸 '탐닉耽溺'이라고 한다. 의학적으로는 신체적 혹은 정신적 원인으로 강화 효과가 생겨 특정 행동이나 물질 등에 집착함으로써 정상적인 생활을 유지해 나가는 데 장애가 생긴 상태를 가리킨다. 일시적 쾌락을 추구하는 행위를 장기적으로 반복하고, 이에 부정적인 결과가 발생하더라도 통제력을 상실했기에 제어할 수 없고, 개인이 스스로 노력해도 좀처럼 빠져나올 수 없는 상태다.

인간의 삶에서 하루 세 끼 식사는 매우 중요한 의미를 지닌다. 생물학적으로 제때 영양분을 공급해 줘야만 살 수 있는 존재가 인간이기도 하지만, 인간관계와 사회생활 대부분이 식탁을 중심으로 이루어지기 때문이다. 살기 위해 먹는 사람도 있지만, 먹기 위해 사는 사람도 있다. 식탐, 즉 먹는 것에 대한 탐닉은 상상 이상으로 강렬하고 중독성이 세다. 현대인들에게 MSG와 탄수화물로 무장한 라면의 유혹은 간단히 뿌리치기 힘든 시험이다.

라면 중독에서 벗어나려면 다섯 가지 실천법에 주목하자.

첫째, 천연 조미료로 맛을 낸다. 자연식품 속에 포함된 글루타메이트를 먹는 건 문제가 없기 때문이다. 번거롭더라도 멸치나 다시마를 사용해서 천연 조미료로 맛을 내는 게 좋다.

둘째, MSG는 하루 1그램 이하로만 섭취한다. 다양한 음식 재료 속에 MSG가 들어있으므로 음식을 골고루 먹을 경우, 위험 수준 이하로 MSG를 섭취할 가능성이 커진다.

셋째, 제철 음식은 물론 채소와 과일을 충분히 먹는다. 제철 음식을 먹는 것이 MSG에 오염된 미각을 회복하는 지름길이다. 채소와 과일은 다양한 비타민과 항산화제가 많아 인체에 매우 유익하다. 이들은 MSG로 인한 독성을 줄여주는 데 중요한 역할을 한다.

넷째, 혈당지수가 낮은 탄수화물을 섭취한다. 통밀, 콩, 현미, 견과류 등 혈당지수가 낮은 식품을 자주 먹으면 인슐린이 과도하게 분비되지 않아 비만과 당뇨도 예방할 수 있다.

다섯째, 먹는 것에 대한 탐닉을 다른 데로 돌리기 위해 운동, 영화 감상, 독서, 미술이나 사진 전시회 관람 등 열정과 에너지를 쏟을 수 있는 취미나 예술에 관심을 둔다.

윤대녕 작가는 디지털이라는 주제를 다루기 위해 라면을 소재로 사용했다. 현대 문명 속에 버려진 주인공은 인스턴트 시대에 걸맞게 라면에 중독되어 다른 사람의 기억을 이식한 채 고독을 벗 삼아 살아간다. 기억을 이식한 남자는 어떻게 됐을까? 자기가 누구라는 걸 알게 되고 집으로 돌아가지만, 과거의 기억을 재생시키지 못하는 남자를 가족들은 식구로 받아들이지 않는다. 남자는 결국 다시 서하숙을 찾는다. 함께 라면을 끓여 먹던 그 기억 저편의 방으로.

잠들지 못하는
현대판 좀비의 선택

수면제 중독

A 씨는 회사에서 스트레스를 자주 받는다. 그럴 때마다 밤에 쉽게 잠들지 못하고, 다음날은 항상 피곤한 상태로 출근해 하루를 망친다. 망쳐버린 하루에 대한 미련으로 잠을 설치다가 이튿날 또 피곤한 몸으로 일어난다. 하는 수 없이 집 근처 의원에서 수면제를 처방받아 복용하기 시작했다. 처음에는 쉽게 잠이 들고, 다음날 피곤하지 않아 만족하면서 지냈다.

그런데 어느 날부터 수면제를 복용해도 잠이 오지 않는 날이 늘었다. 하루에 한 알씩 복용하던 수면제를 잠이 오지 않으면 한두 알 더 먹는 일이 잦아졌고, 의원에서 수면제를 처방받는 주기가 짧아졌다. 이내 수면제가 집에 몇 알 남지 않는 경우, 불안해서 밤에 누워있기가 어려운 상황이 되었다.

'밤을 잊은 그대에게'

'별이 빛나는 밤에'

'꿈과 음악 사이에'

"아하" 하고 고개를 끄덕이는 사람이 있는가 하면, 무슨 말인가 고개를 갸우뚱하는 사람도 있을 것이다. 오랫동안 청취자들의 사랑을 받아온 라디오 심야 프로그램이다. 이런 프로그램이 있는 줄도 모르는 사람은 일찍 잠자리에 들거나 늦게까지 일하거나 라디오를 듣지 않는 사람일 것이다. 자정 넘어 새벽까지 이어지는 올빼미 방송도 있다. 자야 할 시간인데도 잠이 오지 않을 때 음악을 듣든가 영화를 보든가 책을 읽지만, 그래도 잠자기 힘들다면 밤을 꼬박 지새워야 한다. 그야말로 밤을 잊거나 별과 함께 밤을 보내거나 꿈과 음악 사이를 오가는 사람이다.

잠들지 못하는 자들의 극심한 고통

잠을 자고 싶은데, 잠이 오지 않아 어려움을 겪는 증상이 불면증不眠症, Primary Insomnia이다. 자는 도중에 자주 깨서 숙면을 방해하고, 너무 일찍 잠에서 깨어나는 증상도 이에 포함된다. 적어도 1개월 이상 잠들기 힘들고, 잠을 유지하기 어려우며, 피로감 때문에 일상생활에 지장이 있을 때 진단하는 질병이다. 건강한 수면이 이루어지지 않아 정상적인 활동이 곤란한 상태, 즉 잠 때문에 발생하는 모든 수면장애Sleep Disturbance의 일종이다. 밤에 충분히 잠을 자지 못할 경우, 수면 부족으로 한창 일해야 할 낮 동안에도 몸이 나른하고 졸음이 찾아오며 의욕이 생기지 않는 등 삶의 질을 크게 떨어뜨린다.

눈이 감긴 채 의식 활동이 쉬는 상태가 잠이다. 자는 동안 신체 활동이 중지됨으로써 왕성하게 일하는 동안 쌓인 피로를 풀게 된다. 수면 중에는 뇌세포 사이의 공간이 넓어지면서 뇌 속에 쌓여 있던 여러 가지 노폐물과 독소가 제거되기도 한다. 낮에 경험한 일과 감정 가운데 필요한 것은 저장하고 필요하지 않은 것은 지워버리는 시간이기도 하다. 이런 과정이 없다면 쓸모없는 것들을 너무 많이 기억하며 살아야 할지도 모른다. 활발히 움직일 때 겪은 인상 깊은 일이나 잘 해결되지 않아 속상했던 일 등이 꿈을 통해 재생되거나 해결됨으로써 욕구를 해소하는 시간이 되기도 한다. 이렇듯 잠은 우리 삶에 꼭 필요한 유용한 시간이다.

최근 불면증을 호소하는 환자들이 부쩍 늘어났다. 20~30대 젊은이 중에도 잠을 못 자 고생하는 사람들이 증가하는 추세다. 불면증은 건강한 사람도 한 번쯤 겪어봤을 만큼 흔한 질병이지만, 요즘 특히 눈에 띄게 늘고 있는 이유는 무엇일까?

팬데믹의 여운으로 우울과 불안 증세를 느끼는 사람들이 많아진 데다, 경기 침체가 이어지면서 경제적 문제로 인한 스트레스가 급격히 증가한 데서 원인을 찾을 수 있을 것이다. 이 외에도 인구의 노령화, 1인 가구의 확대에 따른 정서적 결핍, 각성제 혹은 스테로이드 남용에 의한 수면 방해, 교통의 발달에 따른 수면주기의 변화 등을 생각해볼 수 있다.

정신건강의학과에서 치료받는 환자의 80퍼센트 정도가 이런저런 수면장애를 호소한다. 우울증 환자는 쉽게 단잠을 자기가 어렵다. 수없이 뒤척이다 겨우 잠이 들었다 해도 수면을 오래 유지하지 못하고 금방 깨는 경우가 많다. 조증이나 불안장애, 강박 신경증이 있을 때도 불면증으로 괴로워한다. 이럴 때 가장 쉬운 방법이 수면제에 의지해 잠을 청하는 것이다.

하지만 걱정이 앞선다. 수면제를 먹으면 과연 잠이 잘 올까? 낮에 일상생활을 이어가는 데 지장은 없을까? 수면제에 자꾸 의존하다 보면 혹시 중독되지는 않을까? 잠 때문에 고통스러워 수면제의 힘을 빌려서라도 충분히 자고 싶지만, 한편으로는 염려스러운 것도 사실이다.

수면제Hypnotic는 대부분 중추신경계Central Nervous System, 여러 감각기관에서 받아들인 신경 정보들을 모아 통합하고 조정하는 우리 몸의 중앙처리장치로 뇌와 척수가 이에 해당한다를 억제함으로써 잠들게 하거나 수면을 유지하도록 만든다. 수면제는 의사의 처방이 없으면 구할 수 없는 전문의약품과 약국에서 자유롭게 살 수 있는 일반의약품으로 나뉜다.

전문의약품인 수면제는 향정신성의약품중추신경계에 작용하는 것으로 오용이나 남용 시 인체에 현저한 위해가 있다고 인정되는 약물에 속한 약물과 이에 속하지 않은 약물로 다시 분류된다. 향정신성의약품에 속하는 수면제는 벤조디아제핀계 약물, 이미다조피리딘계 약물, 바르비탈류, 클로랄 유도체가 있다. 향정신성의약품에 속하지 않는 수면제는 독세핀, 멜라토닌이 있다. 이

외에 일반의약품 수면제로는 항히스타민제, 생약제제 등 수면유도제가 있으며, 일시적인 치료나 보조적인 치료에 사용된다. 일반의약품 수면유도제의 약효는 두세 시간 정도인 데 반해, 전문의약품 수면제의 약효는 네 시간에서 열두 시간까지 지속된다.

수면제의 명과 암

수면제 중독Hypnotic Poisoning이란 수면제를 지나치게 사용해서 중독 상태에 이른 것을 가리킨다. 수면제 중독은 급성과 만성으로 나뉜다. 급성중독은 고의 또는 실수로 수면제를 과량 복용하여 독성 부작용이 발생한 경우다. 오용이나 특이체질로 인해 일어나는 수도 있지만, 대부분 자살을 목적으로 대량 복용해 발생한다. 수면제를 과다 복용하면 목숨을 잃을 수도 있다는 것은 각종 미디어를 통해 자주 노출되어 만인의 상식이 되었다.

수면제 과다 복용으로 중추신경계가 억제되면 기면, 혼수 등 다양한 의식 저하를 보이며, 호흡기계 억제 및 혈압 저하가 발생할 수도 있다. 발견 초기에 기도를 확보하고, 인공호흡과 산소 흡입으로 산소 순환을 유지해야만 한다. 복용 후 3~4시간 이내면 위세척, 설사제 사용, 보액 등의 조치를 한다.

이에 반해 만성중독은 잠이 오지 않을 때마다 무조건 수면제를 복용함으로써 중독 상태에 이른 것이다. 기간이 짧고 사용한 약제가 소량일 경우에는 즉시 복용을 중단하면 되지만, 기간이 길고 대량일 경우에는 입원해서 점진적으로 치료하는 것이 바람직하다.

한 가지 분명히 알아야 할 것은 수면제는 불면증을 직접 낫게 하는 치료제가 아니라는 사실이다. 수면제는 잠들기 어렵거나 잠을 유지하지 못하는 사람의 신경 작용을 간접적으로 조절하여 쉽게 잠들게 만들어 줄 뿐이다. 잠이 오지 않거나 잠을 유지할 수 없게 만드는 근본적인 원인이나 질병은 수면제 복용과는 별도로 치료해야 한다. 수면제는 일시적인 효과를 주는 약물이다. 이에 지나치게 의존한다든가 수면제를 장기간 복용하다 보면 불면증이 저절로 나으리라 기대하는 건 금물이다. 자칫하면 의존성이 심화하면서 중독, 내성, 금단 증상을 일으킬 수 있고, 심하면 합병증이 발생할 수도 있다.

드라마나 영화를 보면 극 중 등장인물이 잠이 오지 않을 때 머리맡에 있는 탁자 서랍을 열어 수면제 약통에서 약을 몇 알 꺼내 입에 털어 넣고 물을 마신 후 이불을 뒤집어쓴 채 곧바로 잠에 빠져드는 광경을 볼 수 있다. 수면제만 먹으면 언제든 잠을 잘 수 있는 것처럼 보이지만, 사실은 그렇지 않다.

수면제를 먹어도 잠이 잘 오지 않거나 상당 시간이 흘러야 잠이 오기도 한다. 개인의 성격이나 체질에 따라 다양한 효과가 나타난다. 오랫동안 수면제를 복용하는 환자의 경우, 수면제를 먹었는데도 잠은 오지 않고 몸은 더 피곤하며 가슴이 두근거리고 불안해지기도 한다. 불면증의 원인은 그대로 두고 수면제만 복용했기 때문이다.

필요할 때 전문가의 지도하에 최소한의 기간으로 약물을 복용하는 것은 불면증 환자에게 도움이 되기도 하지만, 잠이 오지 않는다고 해서 무턱대고 수면제를 먹는 것은 바람직한 방법이 아니다. 불면증의 원인을 찾아 없애든가 감소시켜야 한다.

성격이 조급하거나 잠에 대한 집착이 강한 경우, 또는 지나치게 완벽함을 추구하는 사람에게서 불면증이 자주 나타난다. 극심한 피로, 어수선한 주변 환경, 잦은 스트레스, 불편한 대인관계, 비정기적 교대 근무, 강한 업무 강도 등이 누적되면 불면증이 생길 수도 있다. 이런 원인을 발견해 개선하려고 노력해야 한다.

"오래 만난 애인과 헤어질지 계속 만날지 고민이에요."

"아무리 열심히 일해도 성취감이 느껴지지 않아요. 왜 죽어라 일하는지 모르겠어요."

"아내와의 관계가 갈수록 답답해지는 것 같아요.

불면증 환자들과 여러 차례 대화를 나누다 보면 밤에 잠을 이루지 못하는 이유가 하나씩 드러난다. 본인도 몰랐거나 대수롭지 않게 지나쳐 버린 일이 불면의 이유가 되기도 한다. 중요한 것은 잠을 이루지 못하는 데에는 반드시 그럴 만한 이유가 있다는 것이다. 근본 원인을 찾는 것이 중요하다.

긴장감을 없애야 불면에서 해방된다

수면제에 의존하지 않고, 불면증에서 벗어나는 방법으로는 어떤 게 있을까? 먼저 수면 습관과 잠자리 주변 환경을 잘 관찰한 뒤 이를 바꿔볼 필요가 있다. 잠자리에 드는 시간과 일어나는 시간을 일정하게 맞춰 놓는 것이다. 수면 사이클을 규칙적으로 만들면 불규칙적으로 수면에 드는 것보다 훨씬 잘 잘 수 있다. 잠자는 장소도 들쭉날쭉해서는 안 된다. 늘 같은 공간에서 편안한 마음과 정서를 유지한 채 잠을 잘 수 있어야 한다.

수면 전에는 과식이나 과음을 피하고 지나친 운동도 자제하는 게 좋다. 술을 마시면 잠이 잘 온다고 믿는 사람이 있는데 기분일 뿐이다. 오히려 음주는 숙면을 방해한다. 푹 잔 것 같으나 몸과 마음이 개운하지 않다. 그보다는 늦은 오후나 이른 저녁 시간에 가벼운 운동이나 산책을 하는 게 낫다. 반신욕도 도움이 된다. 몸이 약간 피곤하면 잠이 잘 오기 때문이다.

저녁 식사 이후에는 카페인을 피하고, 잠들기 한 시간 전에는 아예 물도 마시지 않는 게 좋다. 겨우 잠들었는데, 화장실을 가기 위해 밤중에 잠이 깰 수도 있는 까닭이다. 낮잠은 당연히 피해야 한다. 밤에 충분히 자지 못했기 때문에 낮에 졸릴 수 있지만, 낮에 자면 밤에 더 자기 어렵다. 낮잠을 즐기느라 밤잠을 못 자는 악순환이 이어지는 것이다.

수면 습관을 바꾸고 잠자리 환경을 개선했음에도 잠이 오지 않는다면 억지로 누워 있지 말고 일어나서 음악을 듣거나 책을 읽는 등 평소대로 활동하는 것도 나쁘지 않다. 꼭 잠을 자야 한다는 강박증과 잠을 못 자면 큰일이라는 조급증이 오히려 수면을 방해할 수도 있다.

때로는 이완 요법이 도움이 된다. 잠자리에서 잠이 오지 않을까 봐 걱정하고, 고민하게 되면 자신도 모르게 긴장하게 된다. 긴장은 깊게 잠자는 것을 방해하게 되고, 잠을 못 자는 것에 대한 두려움을 강화한다. 흔히 긴장을 줄이기 위해 사용하는 복식호흡, 점진적 이완법, 명상 혹은 최근에 나온 ASMR Autonomous Sensory Meridian Response, 청각을 중심으로 하는 인지적 자극에 반응하여 나타나는 심리적 안정감이나 쾌감 따위의 감각적 경험을 일컫는 말 등을 이용하여 긴장을 완화할 수도 있다.

이런 노력에도 불구하고 잠을 잘 수 없다면 전문의와 상담 후 방법을 찾아야 한다. 인지행동치료가 대표적인 불면증 치료법이다. 이는 수면을 방해하고 불안을 유발하는 생각들을 점검하고, 수정하는 과정을 거침으로써 수면에 도움을 주는 방법이다. 불면에 대한 잘못된 과도한 믿음들, 예를 들면 잠을 자지 못하면 다음 날 생활이 불가능하다든지, 불면으로 인해 건강 문제가 심각해졌다든지, 불면 때문에 자기 몸이 제대로 기능하지 못할 거라 생각하면 지나치게 긴장하게 되고, 실제로 불면을 유발하게 된다.

이러한 믿음들은 대개 오류가 있고, 얼마든지 그렇지 않다는 근거를 찾을 수 있는 것들이다. 이러한 믿음이 수정되지 않는다면 불면을 지속시키는 악순환을 끊는 데 어려움이 생길 수밖에 없다. 생각을 스스로 수정하는 데는 한계가 있기에 치료자의 도움을 받는 것을 추천한다.

끝까지 어른이 될 수 없는 당신

모성애 중독

#SCENE 1

여섯 살 된 B 군은 성격이 활달해 늘 웃는 낯이고 붙임성도 좋다. 유치원에 가면 선생님 사랑을 듬뿍 받는 건 물론 아이들 사이에서도 인기가 많다. 통솔력도 있어 분위기를 잘 이끈다. 이런 B 군이 집에만 가면 전혀 다른 아이가 된다. 유치원에서는 혼자 옷도 갈아입고 놀이도 열심히 하고 밥도 잘 먹지만, 집에 들어서면 아무것도 혼자 할 수 없는 아이처럼 모든 걸 엄마에게 의존한다. "엄마, 먹여줘." "엄마, 입혀줘." "엄마, 놀아줘." 이런 말을 입에 달고 산다. 유치원에서 잘 놀다가도 엄마가 데리러 오면 갑자기 행동을 멈추고 엄마가 다가가 해주기만을 기다린다.

#SCENE 2

K 군은 고3이다. 일과를 보면 전쟁터나 다름없다. 새벽 5시에 일어나 1시간 동안 공부한 다음 30분에 걸쳐 실내 운동을 하고 씻은 뒤 건강 식단에 맞춰 아침을 먹는다. 집을 나서는 시간은 7시경. 있던 차를 운전해 학교 앞까지 안전하게 데려다주는 건 엄마의 몫이다. 차에서 내릴 때 K 군의 손에 들린 건 엄마가 싸준 건강 보조 식품과 음료다. 학교에 있는 동안에도 수시로 엄마에게 휴대전화 문자 메시지가 온다. "아들, 공부 잘돼?", "아들, 컨디션 괜찮아?", "아들, 조금만 더 힘내자. 사랑해!"
하교 시간에 맞춰 교문 앞에 늘 그렇듯 엄마의 차가 기다리고 있다. 다음에 가는 곳은 일타 강사들이 포진한 학원이다. 학원에서 나올 무렵 K 군을 반기는 것도 엄마다. 집에 도착하면 10시에 가깝다. 엄마가 준비해준 보양식을 먹고 책상에 앉아 1시간 동안 마무리 학습을 한 후 잠자리에 드는 건 자정즈음이다. K 군의 입시 사령탑은 엄마다. K 군이 학교에서 공부하는 동안 엄마는 고액 입시 상담가와 입시 전략가를 두루 만나 최고급 입시 정보를 수집한다. 언제 어느 대학 무슨 과를 갈지는 엄마가 결정한다. K 군은 시키는 대로 공부만 하면 된다.

#SCENE 3

L 씨는 요즘 하루가 1년 같다. 어떻게 해야 할지 갈피를 잡을 수 없다. 선배의 소개로 만난 남자는 잘생기고 성격도 시원시원하고 학벌도 좋고 다니는 남들이 부러워하는 일류회사에 다녔다. 무엇보다 자신에게 헌신적이고 배려를 아끼지 않는 모습에 매료되지 않을 수 없었다. 만난 지 몇 달 되지 않았지만, 그의 갑작스러운 프러포즈를 받아들였다. 오히려 L 씨가 더 기다렸는지도 모른다. 문제는 그다음이었다.

결혼을 준비하면서 남자의 정체가 서서히 드러났다. 그는 결혼 날짜, 장소, 혼수, 신혼여행지, 신혼집 등 둘이 의논해서 결정할 사항에 하나 같이 자기 엄마의 의견을 물었다. "엄마, 결혼은 봄에 하는 게 좋아 가을에 하는 게 좋아?" "엄마, 신혼집은 엄마가 다 알아서 꾸며줘야 해. 엄마 안목이 최고잖아." 엄마가 없으면 결혼을 할 수 없는 남자 같았다. L 씨는 그가 자신과 결혼하려는 건지, 자기 엄마와 결혼하려는 건지 헷갈렸다. 이런 남자와 결혼해서 잘살 수 있을지 점점 자신이 없다.

위 사례는 모두 마마보이에 관한 것이다. 마마보이란 어머니에게 강한 애착과 집착을 가진 남자를 가리킨다. 스스로 독립적인 사고와 판단을 하지 못하고 매사 어머니에게 의존해 어머니 뜻대로 움직이는 아들을 의미한다. 심각할 경우 이런 아들은 학교생활이나 사회생활을 제대로 하지 못할 뿐 아니라 각종 사회 문제를 일으킬 수 있다. 부작용이 심각하다는 말이다.

첫 번째 사례의 아이는 워낙 어리니까 그럴 수 있다고 대수롭지 않게 넘어가기 쉽다. 그러나 이 사례의 엄마가 마마보이를 만들어내는 전형이며, 이런 아이가 자라서 마마보이가 되는 법이다. 두 번째 사례 아이는 마마보이로 잘 순치된 경우다. 인생의 중요한 결정을 모두 엄마에게 맡겨둔 채 시키는 대로만 행동한다. 내 의지와 판단이 없다. 그런 아들을 보며 엄마는 희열을 느낀다. 세 번째 사례는 어른이 되어서까지 엄마의 그늘에서 벗어나지 못한 경우다. 벗어나려 해본 적도 없고, 벗어나야 할 필요도 느끼지 못한다. 이런 남자를 만나 결혼하려는 여자는 당연히 고민에 빠질 수밖에 없다. 이 남자는 십중팔구 결혼해서도 변하기 어려울 것이다.

요즘은 자녀를 많이 낳지 않아 외동이가 흔하다. 잘해야 둘 정도다. 그러다 보니 아이를 금이야 옥이야 기른다. 모든 걸 다해주고 아낌없이 투자한다. 당연히 아이가 상전이다. 집 안에서는 물론 집 밖에 나가서도 아이는 거리낌이 없다. 아이를 제어할 수 있는 건 오직 엄마뿐이다. 외벌이든 맞벌이든, 아빠가 얼마나 육아와 가정사에 관심을 가지고 역할을 분담하든 관계없이 대부분 가정에서 아이의 양육과 교육 문제는 엄마의 영역에 속한다.

그렇다 보니 엄마의 지나친 관심과 과도한 관여가 아이의 삶 전반에 영향을 미친다. 적당히 애정을 쏟는 정도가 아니라 아이의 일거수일투족을 통제하는 과잉보호 수준의 관심이다. 아이를 너무나 사랑해서 그러는 거라고 하지만, 이는 아이의 자립심을 해치고 건강한 정신세계 형성에 막대한 지장을 초래하는 행위다. 몸은 자라는데, 마음은 언제나 어린 아이인 상태다.

극성 엄마와 무능한 자식의 상관관계

성인 아이Adult Children는 '부모가 알코올 의존증인 가정에서 자라 성인이 된 사람'을 일컫는 용어였는데, '성인이 되어도 아이 상태에서 벗어나지 못하는 어른이나 부모로부터 자립하지 않는 사람'을 가리키는 용어로 의미가 확장되었다. 마마보이는 성인 아이의 일종인 셈이다.

마마보이와 비슷한 개념의 용어로는 파파걸Papa's Girl, 파파보이Papa's Boy, 마마걸Mama's Girl이 있다. 파파걸은 모든 걸 아빠에게 의존하는 딸을 가리키고, 파파보이는 엄마보다는 아빠에게 더 의지하는 아들을 지칭하며, 마마걸은 아빠보다는 엄마에게 모든 걸 의탁하는 딸을 일컫는다. 대상만 다를 뿐 성인이 되었는데도 주체적으로 생각하고 행동하며 책임지기보다는 사사건건 부모에게 의존해 살아가려는 자식이라는 뜻에서 일맥상통하는 용어다. 몸은 어른이나 마음은 철부지인 성인들이다.

그중 마마보이가 가장 흔하기도 하고, 많은 문제를 일으키기도 하는 까닭에 심각하게 다루어질 수밖에 없다. 상대적으로 파파걸, 파파보이, 마마걸은 비율도 낮을뿐더러 이로 인한 부작용 또한 마마보이보다는 크지 않다.

성인 아이와 유사한 개념으로는 피터팬증후군Peter Pan Syndrome이 있다. 영국 작가 제임스 베리James M. Barrie가 쓴 동화극의 주인공으로 영원히 어른이 되지 않는 소년인 피터 팬에서 따온 심리학 용어다. 육체적으로는 어른이 되었으나 여전히 어린아이로 남아 있기는 바라는 심리를 뜻한다. 피터팬증후군에 걸린 이들은 현실 도피를 위해 스스로 어른임을 인정하지 않고 타인에게 의존한다. 어른으로서 자신의 삶을 개척해 나가야 하지만, 의무와 책임을 미룬 채 어린이로 대우받고 보호받기를 원한다. 피터팬증후군의 한 부류가 마마보이다.

피터팬증후군의 대표적인 증상은 여섯 가지로 나타난다. 본인의 꿈은 매우 높지만, 스스로 실행하려는 힘이 부족한 까닭에 지나치게 타인에게 의지하는 것, 자기 행동에 책임을 져야 함에도 이를 외면한 채 자꾸 다른 사람 탓을 하는 것, 다른 사람에게 인정받으려는 욕심에 자신이 할 수 없는 일인데도 할 수 있다며 큰소리치는 것, 중요한 결정 앞에서 스스로 선택하거나 결단하지 못하고 다른 사람의 방식을 모방하는 것, 현실에서 경험하지 못한 성취감을 상상 속에 그려보며 자신의 좌절을 상쇄하려고 하는 것, 자신에게 부정적인 감정을 만들어 준 사람을 대신해 아무 상관 없는 사람에게 화풀이하는 것 등이다.

의존증이 심한 경우 보호받고자 하는 욕구가 지나쳐 자신의 의존 욕구를 충족시키기 위해 주변 사람들에게 끊임없이 매달린다. 또한 다른 사람이 무리한 요구를 해도 순종적으로 이에 응하는 인격장애인 의존성 성격장애Dependent Personality Disorder나 애착 대상, 즉 엄마와 분리되는 상황에 대해 과도하게 공포나 불안 등의 반응을 보이는 분리불안장애Separation Anxiety Disorder에 이를 위험도 있다.

그렇다면 마마보이가 생겨나는 주요한 원인은 무엇일까? 가장 큰 것은 부모의 양육 태도다. 아이의 의존성을 강화하는 엄마는 어렸을 때부터 아이가 스스로 생각하고 행동할 기회를 주지 않는다. 모든 것을 엄마 뜻대로 하면서 아이는 그냥 따라오도록 가르친다. 대표적인 사례가 헬리콥터 맘Helicopter Mom이다. 헬리콥터 맘은 헬리콥터를 탄 듯 아이를 감시하면서 일일이 간섭하고, 아이가 어디에 있든 즉시 날아가 어떤 문제든 해결해주는 원더우먼 같은 엄마를 가리킨다.

초등학생 때는 매일 등하교를 시켜주고, 숙제를 대신해주며, 어떤 친구를 사귈지도 정해준다. 청소년 시절에는 과목

별로 진도와 성적을 챙기고 학원과 과외 공부를 정해주며 입시 전반을 주관한다. 대학생 아들의 수강 신청과 동아리 활동에 관여하는 것은 물론 군대 간 아들의 병영생활까지 관여한다. 대학 졸업 후 어느 회사에 취업할지, 자기소개서는 어떻게 쓸지 알려주는 것도 엄마 몫이다. 어떤 여자를 만나고 데이트는 어떻게 하는지, 결혼상대자를 어떻게 정해야 하는지도 엄마의 결정 사항이다. 결혼 후에도 아들의 결혼생활에 적극적으로 개입한다. 고부갈등은 불 보듯 뻔하다.

다음은 아빠다. 아빠가 지나치게 권위적이거나 무뚝뚝하면 아이는 자연스럽게 엄마에게 의지하게 된다. 부모와 자녀의 소통과 교제는 전적으로 엄마 차지다. 바쁘다는 이유로 육아와 교육을 전부 아내에게 맡긴 채 무관심한 아빠도 마찬가지다. 있지만 없는 것과 다름없는 아빠만의 공간을 엄마가 대신하는 것이다. 아이에게는 아빠와 엄마가 필요하다. 모두 아빠가 줄 수 있는 정서와 친밀감이 있고, 엄마가 줄 수 있는 정서와 친밀감이 있다. 어느 한쪽의 결여를 다른 한쪽이 온전히 충족시켜 줄 수 없다. 특히 사춘기에 접어든 아들에게는 아빠만이 해줄 수 있는 역할이 있다. 실제로 마마보이의 대부분은 편모슬하에서 자라난 아들들이라고 한다. 엄마는 아빠 몫까지 다하기 위해 아들의 삶에 더 적극적으로 개입하고, 여기에 익숙해진 아들은 엄마에 대한 의지와 집착이 점점 강해진다. 홀로 자신을 키운 엄마에 대한 애틋한 마음이 엄마의 뜻을 거역하지 못하고 무조건 순종하게 만드는 요인이 된다.

단단한 어른을 만드는 좌절의 순기능

아들을 마마보이로 키우지 않으려면, 아이가 스스로 생각하고 판단해서 행동하고 자기 결정에 책임질 수 있게 키워야 한다. 자립심과 자율성을 갖춘 아이가 되게 뒤에서 지켜봐주는 것이다. 넘어지면 바로 달려가서 일으켜주는 게 아니라 스스로 털고 일어나 다시 걸어갈 수 있도록 기다려주는 게 부모의 역할이다.

자녀들이 직접 선택한 다음, 설령 시행착오를 겪더라도 이를 바탕으로 다시 재기하도록 버팀목이 되어주는 게 부모다. 어떤 상황에서도 부모님은 나를 믿고 지켜봐주며 격려하고 후원해주는 존재라는 믿음을 아이들에게 심어주는 부모가 좋은 부모다. 원하는 걸 다 사주고 돈을 많이 벌어다주는 게 좋은 부모가 아니다. 충분히 사랑해주고 믿어주고 격려해주고 존중해주면 아이는 스스로 자란다.

적당한 좌절Optimal Frustration은 바른 인격 형성에 필수적이다. 영아기에는 가능한 한 아이의 원초적 욕구가 즉각 수용되는 게 좋지만, 기간을 통해 아이에게 안전하고 불안하지 않은 환경이 마련된 뒤에는 적절한 수준의 좌절을 통해 아이 스스로 이를 극복하고 성장하는 과정이 필요하다. 무조건 요구하고 떼를 써도 안 되는 것도 있다는 걸 아는 게 중요하다. 필요한 모든 게 충족되기만 한다면 오히려 자기만 아는 버릇 없는 아이가 될 수 있다.

"내가 너를 어떻게 키웠는데……."

"남편 복 있는 여자가 자식 복도 있다더니…… 힘들게 죽도록 길러봐야 다 헛일이네."

엄마가 아들 앞에서 이런 말을 하며 신세를 한탄하면 듣는 아들은 가슴이 미어진다. 알아서 마마보이가 되라는 소리로밖에 안 들린다. 자식을 힘들여 키우지 않은 엄마가 있겠는가? 키운 공로나 양육의 대가를 바라거나 기대하는 듯한 말은 구태여 하지 않는 게 좋다. 이런 말을 자주 한다면 아들이 마마보이가 되기를 바라는 엄마라고 여길 수밖에 없다.

남편과 불화하거나 남편에게서 육체적·정신적 폭력을 겪었던 트라우마 때문에 아들마저 남편처럼 될까 봐 자기 말을 고분고분 잘 듣도록 길들이는 엄마도 있다. 남편에 대한 트라우마와 아들에 대한 불안감이 아들에게 더욱 집착하게 함으로써 아들을 손아귀에 넣어야만 안심하는 강박에 시달리는 경우다. 이런 엄마와 사는 아들은 마마보이가 될 공산이 크다. 엄마가 트라우마와 불안을 극복하도록 정신과 치료를 받아야 한다.

나를 위해 진자리 마른자리 갈아 뉘시며 손발이 다 닳도록 고생하신 엄마의 마음을 이해하고 잘해드리는 것과 내 인생을 주체적으로 살아가는 것은 별개의 차원이다. 무조건 엄마 뜻대로, 엄마 말대로, 엄마 의지대로 따르기만 하는 게 좋은 아들은 아니다. 엄마가 자기 인생에 너무 과도하게 개입하지 않도록 적절히 차단하는 지혜가 필요하다. 아무리 생각해도 합리적이지 않다면, 타당한 이유를 들어 엄마 의견에 반대를 표하고 설득하는 노력을 해야 한다. 아무 문제없는 것처럼 대충 넘어가는 게 가정의 평화를 지키고, 엄마와의 관계를 잘 유지하는 현명한 방법이 아니다. 본질적인 문제를 정확히 해결하는 게 중요하다.

마마보이에도 두 부류가 있다. 엄마에게 완벽히 예속되어 옴짝달싹하지 못하면서 무조건 복종하고 의지하는 철저한 마마보이가 있는가 하면, 엄마 앞에서는 마마보이인 것처럼 하면서도 실상은 자기가 하고 싶은 걸 조용히 해나가며 자신의 꿈과 목표를 이루어가는 마마보이도 있다. 나중에 엄마에게 이런 사실이 탄로 났을 때, 자기 생각을 당당하게 밝히고 질책이나 갈등을 각오하는 아들이다.

얼핏 보면 비슷한 것 같아도 상당히 다르다. 후자의 마마보이는 엄마를 사랑하고 존경하는 마음에서 최대한 뜻을 따르려 애쓰지만, 그러면서도 자기 정체성과 주체성을 잘 만들어가는 경우라 할 수 있다. 이들은 마마보이라 하더라도 자신의 꿈과 목표를 위해서는 엄마의 반대를 무릅쓰고 독자적인 길을 걷는다.

성인이 돼서도 엄마에게서 벗어나지 못한다면

만약 사귀는 남자나 결혼하고 싶은 남자가 마마보이인 걸 알았을 때, 어떻게 대처해야 할까? 혹은 미처 모르고 결혼했는데, 알고 보니 마마보이일 경우 어떻게 해야 할까?

남자를 정말 깊이 사랑한다면 사랑의 힘으로 이를 극복할 수 있다고 믿고 싶을 것이다. 혹은 극복하려고 여러 방법을 써볼 것이다. 남자의 우유부단함이 심하지 않다면, 여자의 노력에 따라 마마보이 증세가 경미해질 수도 있다.

"엄마가 그러는데 말이야."

"아, 잠깐. 엄마한테 물어보고 다시 얘기해줄게."

안타깝게도 남자가 툭하면 이런 식의 말투를 이어간다면 교제나 결혼을 심각하게 고려해보는 게 좋다. 자존감과 독립심이 없는 남자와 결혼하는 건 매우 위험하다. 결혼한 이후에도 남자는 엄마와 아내 사이에서 줄을 탈 게 뻔하다.

연애할 때는 그런 줄 몰랐거나, 남자가 의도적으로 내색하지 않아 눈치채지 못하다가 결혼한 후에 남자가 마마보이인 걸 알았을 때 그 낭패감은 정말 심각할 것이다. 하지만 이미 결혼했으니 어쩔 것인가. 최선을 다해 남편을 마마보이 상태에서 구출하거나 증세를 약하게 만들기 위해 애써 보는 수밖에. 결혼 전이라면 남자만 상대하면 되지만, 결혼 후라면 시어머니를 상대해야 한다. 남편이 지독한 마마보이라면 시어머니는 넘기 힘든 산일 수도 있다. 남편을 잘 설득해서 부부가 함께 상담을 받아보는 게 좋다.

남편은 어쨌든 내가 선택한 내 남자니까 이런 방법을 통해서라도 부부관계를 유지해 갈 수 있으나 문제는 시어머니다. 시어머니를 정신과로 모시고 가서 상담과 치료를 받게 하는 건 코끼리를 냉장고 안에 집어넣는 일만큼이나 어려운 일이다. 분가하거나 시댁과 멀리 떨어져 살면서 남편과 함께 시어머니의 간섭과 영향력을 최소화하기 위한 다양한 시도를 해야 한다. 시아버지나 시누이 등 시댁 식구들의 도움을 받는 것도 좋다.

마마보이와 효자는 분명히 다르다. 마마보이는 엄마에게 효도하려고 복종하고 집착하는 게 아니다. 정신적으로 종속되어 있기 때문에 의존하는 것이다. 자존감과 독립심을 가진 아들이 주체적으로 엄마에게 마음을 다해 잘해드릴 때, 그를 효자라 부를 수 있다.

"신은 모든 곳에 있을 수 없기에 어머니를 만들었다."

유명한 격언이다. 모성애는 지상 최고의 사랑이다. 아무리 악독한 사람도 죽기 전에 어머니를 부르고, 아무리 냉혹한 사람도 어머니를 생각하면 눈물이 흐르게 마련이다. 어머니를 사랑하고 효를 다하는 것은 당연한 일이다. 하지만 마마보이가 되는 건 효를 다하는 것이 아니다. 아들을 마마보이로 기르는 것 역시 진정한 모성애라고 할 수 없다. 모성애는 아무런 조건 없는 지고지순한 사랑이지 중독의 대상이 아니다. 어머니와 아들 사이에는 건강한 애착과 분리가 시기에 맞게 잘 이루어져야 한다. 모성애에 중독되어 어머니는 아들을 조종하고, 아들은 어머니에게 예속된다면 두 사람은 물론 가족 전체가 불행해지고 만다.

Part 4

우리 삶에 마냥 좋기만 한 것이 있을까요

너무 아픈 사랑은 사랑이 아니었음을

사랑 중독

스티븐 프리어스Stephen Frears 감독이 만들고, 존 쿠색John Cusack이 주인공으로 열연한 <사랑도 리콜이 되나요?>는 2000년에 개봉된 로맨틱 코미디 영화다. 레코드 가게를 운영하는 30대 총각 롭 고든에게는 로라라는 아름다운 여자친구가 있다. 자신의 일상에 큰 불만 없이 지내던 롭에게 어느 날 위기가 찾아온다. 로라가 이별을 선언하고 집을 나간 것이다. 끔찍한 일이었다.

그는 번번이 여자에게 차이기만 하는 신세를 한탄하며, 그 이유를 알기 위해 옛 여자친구들을 찾아 나선다. 첫 번째,

두 번째, 세 번째…… 그렇지만 그는 해답을 찾지 못한다. 오히려 절대로 로라를 그냥 놓아줄 수 없는 이유만 쌓여 간다. 그녀는 정말 특별했고 독특한 매력이 있었다. 그녀의 모든 것을 그리워하는 롭의 가슴은 터져 버릴 것만 같다.

그러던 중 로라 아버지의 부고를 듣는다. 장례식장에서 재회한 롭과 로라는 서로의 마음을 확인하고, 얼마 후 롭은 로라에게 프러포즈한다. 원작인 닉 혼비Nick Hornby의 소설 제목은《하이 피델리티》다. '고음질', '충실함'이라는 뜻이다. 감독은 관객들에게 묻는다.

"당신은 지금 사랑하는 사람에게 얼마나 충실한가요?"

"그 사람과 당신의 사랑이 어우러져 울려 퍼지는 화음은 고음질인가요?"

사랑이 무엇일까? 사랑은 감정인가 증상인가? 사랑을 불러일으키는 건 심장의 역할일까, 아니면 뇌의 역할일까? 끝없이 사랑을 갈망하는 게 건강한 상태인가, 비정상적인 중독인가?

과학자들과 의사들 역시 이 같은 질문을 던졌고 해답을 찾기 위해 연구를 거듭했다. 미국 러트거스대학교의 생물인류학자로 진화적인 관점에서 남녀관계를 탐구해 온 헬렌 피셔Helene Fischer 교수는 '사랑은 중독'이라고 주장한다. 그녀는 사랑에 빠진 사람의 뇌에 나타나는 반응이 마약을 사용했을 때 나타나는 반응과 비슷하다는 걸 발견했다. 뇌를 영상으로 촬영한 결과, 쾌락의 중추라고 불리는 복측피개 영역VTA이 활성화되었다. VTA는 코카인 등에 중독되었을 때 활성화되는 영역이다. 마약은 뇌에서 도파민 생성을 촉진함으로써 중독 현상에 이르게 하는데, 사랑에 빠졌을 때 역시 VTA에서 도파민 분비를 촉진한다.

이와 동시에 사랑에 빠진 뇌는 심장 박동수와 혈압을 높이는 스트레스 호르몬인 노레피네프린이 증가해 필로폰과 같은 중독성 강한 자극제를 사용하는 사람들이 경험하는 것과 비슷한 효과를 경험하게 한다. 대다수 사람은 일정 기간 격정적으로 사랑에 몰입하는 단계를 거쳐 우정과 같이 안정적인 사랑의 단계로 접어들지만, 일부는 상대방에게 계속 집착하면서 점점 파멸에 이른다. 이는 마약이 인간의 삶을 파괴한다는 것을 뻔히 알면서도 중독에 빠져 헤어 나오지 못하는 것과 비슷하다.

사랑에 빠지는 3단계

미국 알베르트 아인슈타인 의과대학교의 루시 브라운Lucy Brown 박사는 실연의 상처를 안고 있는 사람들의 뇌를 관찰했다. 이별한 지 얼마 되지 않아 상대방에 대한 사랑의 감정이 남아 있는 사람들이 관찰 대상이었다. 그 결과, 이들에게서 측좌핵이 활성화된 것을 볼 수 있었다. 측좌핵은 보상을 느끼게 해주는 곳이다. 사랑하면 보상을 느낌으로써 사랑을 더욱 갈구하게 만드는 것이다. 측좌핵은 마약 중독자가 코카인 등을 간절히 원할 때 활성화되는 영역이다. 마약처럼 사랑에도 중독성이 있다는 기존 연구 결과를 뒷받침하는 내용이다.

사랑이 뇌의 작용에 의한 것이고, 중독성이 있다면 사람들은 어떻게 사랑에 빠지게 될까? 헬렌 피셔 교수는 인간의 뇌가 사랑에 빠지는 과정을 3단계로 나눠서 설명한다.

첫 번째는 성욕Lust이다. 사랑의 감정을 갖기 전 성욕을 느끼는 단계다. 평균 90초~4분 사이에 결정되는 이 느낌은 성호르몬인 테스토스테론과 에스트로겐이 분비되면서 생성된다.

두 번째는 매력Attraction이다. 사랑으로 진입한 단계다. 신경전달물질인 아드레날린과 도파민 등이 감정을 증폭시킨다. 아드레날린은 심장이 뛰면서 흥분하게 만들고, 도파민은 기분이 좋고 행복한 감정을 느끼게 만든다. 이때의 뇌를 분석해보면 코카인 등 마약에 중독됐을 때 뇌와 흡사하다. 식욕과 수면욕도 줄어드는데, 남녀가 사랑에 빠지면 밥을 먹지 않아도 배가 부르고, 잠을 자지 않아도 피곤하지 않은 것이 이 때문이다.

세 번째는 애착Attachment이다. 옥시토신과 바소프레신이 분비되면서 안정적이고 편안한 기분을 느끼는 단계다. 옥시토신은 산모가 출산 중에 분비하는 강력한 모성애 물질이며, 바소프레신은 스킨십을 하거나 오르가슴을 느낄 때 주로 분비되는 호르몬으로 장기적인 관계를 형성하는 데 영향을 미친다. 따라서 뜨겁게 타오르는 열정적인 단계는 지났지만, 결속력이 강화되고 친밀감이 높아짐으로써 서로가 오래된 친구처럼 편안하게 여기게 된다.

정신의학에서 사랑을 중독으로 분류해 질환의 대상으로 여기지는 않는다. 그렇지만 정상적인 사랑의 범주를 넘어 위험한 단계로 진입한 사랑도 분명히 있다.

사랑하는 사람과 헤어진 뒤 이별의 아픔 때문에 괴로워하다가 정신건강의학과 문을 두드리는 청년들이 있다. 어떤 이유로 헤어지게 되었든, 실연의 고통이야 당사자가 아니면 도저히 이해하거나 공감할 수 없을 만큼 쓰리고 아픈 법이다. 여러 차례에 걸친 상담과 주변 사람들의 도움으로 차츰 상처를 치유하는 사람도 있지만, 극단적 상황에 빠지는 사람도 있다.

> "그 사람이 아니면 차라리 확 죽어버릴 거예요."
>
> "가만두지 않을 겁니다. 끝까지 쫓아다니며 후회하게 만들어 줄 거라고요."
>
> "당신은 나의 전부에요. 당신 없이는 아무것도 할 수 없어요."

이런 반응을 보이는 사람들은 상대방에게 심한 배신감을 느끼면서 적개심을 품는다. 그 사람이 아니면 자신은 앞으로 살아갈 수 없다며 자포자기와 깊은 비애에 빠져든다.

아름다운 사랑을 만드는 옥시토신의 힘

우리 주위에는 사랑에 자신의 모든 걸 걸고 나서 결국은 실패에 이른 뒤 쓸쓸히 마음의 병을 앓고 있는 사람들이 많다. 이처럼 애정의 대상에게 지나치게 의존하고 몰두하는 병적인 상태를 흔히 '사랑 중독'이라고 말한다. 이들은 자신의 고유성과 정체성을 잃어버릴 정도로 무리하게 상대방에게 몰입한다. 그러다 기대와 욕구가 충족되지 않으면 인생이 종말을 맞은 것처럼 낙담하고 자책한다. 물론 병적인 사랑은 의존적인 성격장애나 경계선 성격장애와 구별되어야 한다. 이러한 상황에서 기능적인 장애는 사랑에 국한되지 않기 때문이다.

병적인 사랑은 상대방에게 맹목적으로 헌신하고 집착하게 만든다. 이 과정에서 상대에 대한 과도하고 부적절한 관심이 이어지고, 자제력을 잃게 됨으로써 다른 관심이나 활동에도 지장을 주어 부정적인 결과를 초래한다. 정상적인 사랑이 애착 단계로 접어들 때 뇌에 옥시토신이 분비되면서 안정적이고 편안한 기분을 느끼는 데 반해, 병적인 사랑에서는 이런 변화를 찾아볼 수 없다는 점에서도 차이를 갖는다.

사랑하는 사람에게 상식을 벗어날 정도로 지나친 과잉 반응을 한다든지, 비이성적으로 지나치게 몰입한다든지, 믿을 수 없을 만큼 비현실적인 기대를 한다면, 혹시 내가 병적으로 사랑에 빠진 게 아닐까 숙고해봐야 한다. 건전한 인간관계는 중독을 부르지 않는다.

건강한 사랑은 새로운 것을 창조하지만 병적인 사랑은 모두를 소진시키고 파괴한다. 성숙한 사랑은 삶에 생동감과 활력과 정서적 충만함을 주는 고음질의 화음이지만, 미숙한 사랑은 서로의 삶에 무력감과 패배주의와 정서적 소멸을 안겨주는 저음질의 화음일 뿐이다.

다시 영화로 돌아가 보자. 몇 년 동안 동거하던 여자친구 로라가 어느 날 갑자기 집을 나간 것은 롭이 싫어서라기보다 롭의 가벼운 말과 행동이 마음에 들지 않아서였다. 롭은 번번이 좋아하는 여자에게 거절당함으로써 로라에게도 언제 채일지 모른다는 두려움을 가지고 있었다. 로라는 특별한 여자였다. 게다가 잘 나가는 변호사였다. 그래서 롭은 상처받지 않기 위해 빠져나갈 문을 열어두고 있었다. 한 발은 로라가 있는 집 안에, 다른 한 발은 로라가 없는 집 밖에 걸쳐두고 산 것이다. 로라는 이걸 깨달았다. 롭이 자신을 진심으로 사랑하지 않는다는 걸 알았다.

오랜 방황 끝에 로라가 자신을 떠난 진짜 이유를 알게 된 롭은 자신을 깊이 성찰한다. 사랑은 적당히 밀고 당기는 줄

다리기나 시소게임이 아니다. 롭은 로라를 진심으로 대하게 된다. 온 마음을 다해 사랑하게 된 것이다. 망설임 없이 자신의 두 발을 모두 로라라는 미래의 땅으로 들여놓았다. 이를 느끼고 인정한 로라는 다시 롭을 받아들인다. 알 수 없는 불협화음이 두 사람의 조율을 거쳐 아름다운 하모니의 고음질로 재탄생한 것이다.

사랑을 인생 최고의 가치로 여겨 사랑하는 사람에게 온 정성을 다하는 사람을 '사랑꾼'이라고 부른다. 사랑꾼이 많은 세상은 참으로 살만한 세상일 것이다. 그러나 사랑 중독자들이 많은 세상은 살기 힘든 삭막한 세상일 것이다. 지금 나는 사랑하는 사람에게 얼마나 충실한가? 내 사랑의 화음은 얼마나 고음질인가? 나는 사랑꾼인가, 아니면 사랑 중독자인가?

땀 흘리지 않으면 불안해요

운동 중독

#SCENE 1

무기력증을 앓던 A 씨는 달리는 게 도움이 된다는 주변의 권유로 운동을 시작했다. 운동 시간을 늘리면서 생활의 활력을 찾기 시작했고, 운동이 일상에서 가장 중요한 활동이 되었다. 운동에 투여하는 시간이 늘어남에 따라 평소에 하던 많은 것들을 미루거나 포기하게 되었다. 심지어 여자친구와의 데이트 약속을 취소하는 경우까지 생기면서 다툼도 잦아졌다. 피치 못할 사정으로 운동을 하지 못하는 날에는 초조함을 느끼면서 편하게 잠이 들기 어려웠다.

#SCENE 2

B 씨는 건강을 위해 헬스클럽에 다니는 중이다. 땀을 흘리는 과정에서 오는 만족감과 성취감이 좋아 운동을 지속하던 중인대 손상을 입었다. 담당 의사가 당분간 운동을 쉬라고 했다. 내키지 않았지만, 의사 말대로 운동을 잠깐 쉬었더니 불안해서 견딜 수 없었다. 결국 무리하게 운동을 개시한 그는 더 큰 부상으로 수술을 기다려야 하는 처지가 되었다.

동네 공원마다 운동기구가 설치되어 있다. 지방자치제가 정착되고, 노령 인구가 늘어나면서 헬스클럽 같은 유료 운동 시설을 이용하기 어려운 주민들을 위해 마련한 시설이다. 수도권 신도시에는 헬스클럽에 가야 볼 수 있는 고급 운동기구까지 갖춰져 있다. 내가 사는 동네에도 작은 공원에 다양한 운동기구가 놓여 있다. 가끔 지나가다 노인들은 물론 젊은이들도 자유롭게 시설을 이용하는 모습을 본다. 보기 좋은 흐뭇한 풍경이다.

그런데 지나치게 오랫동안 운동에 전념하는 사람을 간혹 볼 수 있다. 볼일 보러 나갈 때 땀을 뻘뻘 흘리며 운동하는 모습을 봤는데, 돌아올 때까지 변함없이 그러고 있는 거였다. 적지 않은 나이에 몇 시간 동안 근력 운동을 계속해도 되는지 걱정스러울 정도였다.

불안한 현대사회가 만든 정신의 병

운동은 좋은 것이다. 바쁘게 살아가는 현대인들 특히 도시인들에게는 운동 부족이 건강을 해치는 주요 원인 중 하나다. 그렇지만 아무 운동이나 무턱대고 많이 한다고 다 좋은 건 아니다. 자기 몸 상태와 체력에 맞는 적절한 운동을 올바른 방법으로 적당히 해야 효과가 있다. 지나치게 무리해서 운동하면 오히려 건강을 해치는 주요 원인이 된다.

본인의 운동 능력보다 과한 운동을 지속하려는 행동을 '운동 중독Exercise Addiction'이라고 한다. 인간의 몸은 분당 120회 정도의 심박수로 30분 이상 운동하면 뇌에서 엔도르핀을 방출한다. 이때 방출된 엔도르핀은 행복감을 준다. 운동 중독은 이 행복감을 계속 유지하기 위해 자신의 체력이 이미 고갈되었음에도 이를 느끼지 못한 채 운동을 계속하는 증상을 가리킨다.

운동 중독에 걸린 사람들에게는 운동이 삶에 활력을 주고 건강을 증진하는 수단이 아니라, 운동 그 자체가 살아가는 목적이 된다. 운동이 건전한 습관의 수준을 넘어 반드시 몰입해야만 하는 의무가 된 것이다. 자연히 부상의 위험이 따른다. 근골격계의 부상 위험이 커지고, 심장의 과도한 부담으로 잘못하면 심장마비까지 올 수 있다. 건강을 위해 운동하다 목숨까지 잃을 수 있는데, 가장 큰 문제는 본인이 자기 자신의 한계점을 느끼지 못하는 것이다.

30분 이상 달리면 몸이 가벼워지고 머리가 맑아지는 느낌이 든다. 이것을 '러너스 하이Runner's High' 혹은 '러닝 하이Running High'라고 한다. 이런 기분이 들 때는 오래 달려도 지치지 않을 것 같고, 계속 달리고 싶은 마음이 생긴다. 4분에서 30분 이상 이런 느낌이 유지되기도 한다. 이때의 의식 상태는 헤로인이나 모르핀, 또는 마리화나를 투약했을 때 나타나는 증상 유사하다. 때로는 오르가슴에 비교되기도 한다. 수영, 사이클, 야구, 럭비, 축구, 스키 등 장시간 하는 운동이라면 어떤 운동이든 '러너스 하이'를 느낄 수 있다.

그렇다면 운동 중에 왜 '러너스 하이'가 오는 걸까? 1979년 미국 캘리포니아대학교 심리학자인 아널드 J. 멘델Arnold J.

Mendel이 정신과학 논문 〈세컨드 윈드Second Wind〉를 발표하면서 과학자들이 이에 관심을 기울이며 연구하기 시작했다. '러너스 하이'를 경험할 수 있는 운동 시간, 강도, 방법 등에 관한 연구는 이후 지속해서 이루어졌다.

운동하다가 몸에 땀이 나면 젖산과 피로물질이 나오면서 통증을 느낀다. 힘이 드니까 괴로운 것이다. 그러면 뇌는 통증을 완화하기 위해 엔도르핀과 아난다마이드라는 호르몬을 분비한다. 엔도르핀과 아난다마이드에는 마약처럼 통증과 피로를 감소시키는 물질이 있어 행복감을 느끼게 된다. 이것이 바로 운동할 때 뇌 속에서 진행되는 보상회로다. '러너스 하이'를 느끼기 위해 운동 중독에 빠지는 것이다.

운동 중독에 빠지면 다른 중독과 마찬가지로 금단 증상을 느낀다. 일단 운동에 대한 욕구를 통제하지 못한다. 운동하지 않고 24~36시간이 흐르면 금단 증상이 나타난다. 무기력해지고, 집중력이 감소하며, 피로를 느낀다. 업무 수행 능력이 떨어지고, 판단력이 흐려져 사회 활동을 정상적으로 하기 힘들다. 운동이 주는 쾌감과 심리적 안정에 몸과 마음을 온통 빼앗겨 버린 탓에 운동을 그만두면 아무것도 할 수 없는 상태가 된다.

내 몸을 통제하기 위해 통제력을 상실하다

운동 중독에 빠지는 또 하나의 요인은 '멋지고 아름다운 몸'에 대한 환상이다. 영화에 나오는 우람한 근육질의 배우나 연예인을 보며 많은 남성이 자신도 저런 몸매를 갖고 싶다는 환상을 품는다. 그렇게 되면 뭇 여성들로부터 시선을 한 몸에 받을 수 있을 것 같다. 여름철 바닷가에 가서도 마음껏 몸매를 뽐낼 수 있을 것이다. 그래서 운동을 끊을 수가 없다.

여성들은 쉽사리 다이어트의 유혹에 빠진다. 살을 빼서 브라운관 속 팔등신 몸매를 가진 여성처럼 될 수만 있다면, 다이어트의 고통쯤은 얼마든지 감내할 수 있다고 생각한다. 운동을 결코 멈출 수 없는 이유다. 이런 사람들에게 중독으로 가는 문은 언제나 열려 있다.

내가 단순히 운동을 즐기는 것인지 아니면 중독에 빠진 것인지를 어떻게 알 수 있을까? 정신건강의학과에서 질병을 분류하는 《정신질환 진단 및 통계 편람DSM-5》에는 운동 중독에 대한 설명이 없다. 하지만 운동 중독과 관련된 부분은 비교적 광범위하게 연구되고 있으며, 가장 많이 언급되는 진단 기준은 런던 킹스 칼리지 정신의학 연구소의 데이비드 비얼

David Veale 박사의 기준이다.

1. 원하는 목표를 달성하는 기쁨을 느끼기 위해 운동량을 계속 늘린다.
2. 운동하지 않으면 불안하고, 잠을 못 자거나 과민해진다.
3. 운동량이 종종 계획보다 많아지거나 예정보다 오래 운동하는 경우가 잦다.
4. 운동에 대한 조절력을 상실할 때가 있다.
5. 운동 전 준비 시간이나 운동 후 정리 시간이 필요 이상으로 길다.
6. 운동 때문에 사회, 직업적 활동 또는 여가 활동을 포기한 적이 있다.
7. 운동으로 인해 신체적 문제가 발생했음에도 지속한 적이 있다.

위의 사례 중 세 개 이상 해당한다면, 운동 중독일 가능성이 높다. 운동 중독 초기에는 3개월 이상 운동을 꾸준히 해본 결과 다른 어떤 레저나 취미보다 오직 운동이 즐겁고 흥미롭다. 그 외 다른 일에는 크게 흥미를 느끼지 못한다. 운동 중독 중기에는 자신도 모르는 사이에 점점 더 강도가 센 운동을 원하면서 이로 인한 통증을 즐긴다. 체력이 바닥날 때까지 운동해야만 제대로 운동했다고 만족한다. 운동 중독 말기에는 운동하다가 다쳤거나 병이 생겼음에도 불구하고 끊임없이 운동을 지속한다. 자신의 이성과 의지만으로는 운동을 조절하거나 통제할 수 없다.

몸이 좋지 않아 병원에서 전문의와 상담해 본 사람은 대개 이런 조언을 들었을 것이다. "술 담배를 끊거나 줄이시고, 규칙적으로 알맞은 운동을 하는 게 좋습니다." 규칙적인 운동이 건강에 좋다는 건 누구나 알고 있는 상식이다. 하지만 자신에게 맞는 적절한 운동 종류, 방법, 강도, 시간, 형태 등을 고려하지 않은 채 무작정 아무 운동이나 계속한다면 오히려 몸에 해가 된다.

운동 중독에까지는 이르지 않았다 하더라도 지나친 운동은 운동이 가져다주는 심혈관계질환 예방과 성인병 위험을 낮추는 이점보다 피로 골절과 근골격계 질환, 그리고 만성피로증후군 등에 노출될 수 있다. 건강을 위해 운동을 시작하려 한다면 어떤 운동을 어떻게, 얼마나 해야 좋은지 전문 트레이너의 안내를 받아야 한다.

대기업 회장을 지내다 은퇴 후 운동을 시작해 77세에 운동생리학 박사가 된 이순국 씨는 자신의 운동 비법을 소개한 책《몸짱 할아버지의 청춘 운동법》에서 이렇게 이야기한다.

"운동이라는 게 의욕만 가지고 되는 게 아닙니다. 내 체력과 여건 등을 충분히 고려해서 실천할 수 있는 계획을 세워야 합니다. 거창하게 프로그램을 짰다가 작심삼일이 되는 것보다는 소박할지언정 초지일관할 수 있는 프로그램을 짜는 것이 중요합니다. 각자 자기 몸에 맞는 옷과 입에 맞는 음식이 있듯 체질에 어울리는 운동 프로그램이 있습니다. 그걸 발견하는 것이 좋은 운동 습관을 들이기 위한 출발점입니다."

피곤을 잊게 하는 각성의 힘

카페인 중독

중소기업에서 디자이너로 일하는 M 대리는 아침에 일어나자마자 커피를 마신다. 에티오피아 원두를 직접 갈아서 만든 드롭 커피다. 식사는 할 때도 있고 거를 때도 있지만, 커피만은 꼭 챙겨 마신다. 짙은 향이 집 안을 감싸고, 따끈한 쓴맛이 목으로 넘어갈 때면 비로소 하루가 시작되었음을 실감한다.

회사에 출근하면 아메리카노 커피를 한 잔 마신다. 전투가 시작되기 전 군인이 소총과 장비를 점검하듯, 그녀는 커피를 마시며 하루 동안 벌어질 일들을 머릿속에 그려 넣는다. 기획 회의에서 발표를 맡은 M 대리가 회의실로 들어가며 챙기는 준비물은 발표 자료와 달콤한 바닐라라테 한 잔. 긴장을 누그러뜨리는 데는 그만한 게 없다.

동료들과 회사 근처에 있는 파스타 맛집을 찾아 점심을 먹고, 단골 커피 전문점에 들러 아이스 카페라테를 한 잔 주문해 다시 사무실로 향한다. 신제품 디자인 시안을 완성하고 광고 디자인 스케치에 골몰하다 보면 어느새 오후 4시가 넘어간다. 여직원 휴게실에 가서 담배 한 대 피우면서 자판기 커피를 한 잔 뽑아 마신다. 설탕과 크림이 다 들어간 자판기 커피는 이상하게 중독성이 있다.

퇴근 후 오랜만에 대학 동창들을 만나 저녁을 겸해 술을 마셨다. 거나하게 취해 집에 도착한 시간은 밤 10시. 오늘 하루도 참 치열하게 살았다는 생각에 에티오피아 원두를 갈아 진하게 내려 마시며 하루를 마무리한다.

30대 초반 M 대리의 하루다. 그녀의 설명에 따르면, 대략 이와 비슷한 일과가 이어져 왔다고 한다. 그동안 별다른 이상이 없었는데, 최근 들어 밤에 잠이 오지 않고 가슴이 두근거리며 두통이 심하고 신경이 예민해진 것 같다며 조심스레 병원을 찾았다. 전형적인 카페인 중독 증세였다. 그녀는 지금껏 하루 평균 대여섯 잔씩 커피를 마셔 온 것이다. 업무상 사람을 자주 만나며 어쩔 수 없이 커피를 많이 마실 수밖에 없는 우리나라 직장인 중 카페인 중독 증세를 보이는 사람들이 의외로 많다.

치명적인 향에 중독된 사람들

카페인 관련 장애Caffeine Related Disorder는 커피, 콜라, 녹차, 홍차, 코코아 등 카페인이 들어있는 식품이나 물질을 장기간 섭취하거나 복용함으로써 내성과 금단현상을 보이는 약물의존증을 가리킨다. 미국정신의학회에서 발행한 《정신질환 진단 및 통계 편람DSM-5》에 따르면, 불안한 듯 안절부절못하고, 신경이 과민해지며, 밤에 잠을 자기 어렵고, 소화 불량이 생기는 등의 증상이 나타나 일상생활에 지장이 생기면 카페인 중독으로 진단할 수 있다.

보통 하루에 카페인 250밀리그램커피 두 잔에 들어 있는 카페인의 양 이상을 섭취하면 카페인 중독 증상이 나타날 가능성이 크다. 이에 더해 하루 1,000밀리그램 넘게 카페인을 섭취하면 이상 증세가 눈에 띄게 드러날 수 있다. 물론 카페인 민감도는 사람마다 다르지만, 심하면 심장마비나 골다공증의 원인이 되고, 부정맥, 역류성 식도염, 위염, 십이지장 궤양, 방광염 악화 등을 일으킬 수도 있다. 카페인 섭취를 중단했을 때는 두통, 심장 떨림, 구역감, 짜증, 불안, 신경과민, 우울증 등의 금단 증상이 올 수 있다.

그렇다면 한국인들에게 카페인 중독 증세가 많이 나타나는 이유는 무엇일까? 당연한 이야기겠지만, 커피를 많이 마시기 때문이다. 한국인들의 커피 사랑은 정말 대단하다. 경기 불황이 오랫동안 이어지고 코로나 사태로 자영업자들이 극심한 어려움을 겪고 있는 이즈음에도 커피 전문점은 계속 생겨나고 있다. 코로나와 경기 불황도 한국인의 커피 사랑을 이길 수 없다.

국제커피기구International Coffee Organization, ICO에 따르면 지난 10년간 커피 소비는 연평균 2.1퍼센트씩 증가했다. 매일 전 세계에서 약 20억 잔의 커피가 소비된다고 한다. 2020년 국가별 1인당 커피 소비량을 보면 1위는 룩셈부르크로 11.1킬로그램, 2위는 네덜란드로 8.3킬로그램, 3위는 핀란드로 7.8킬로그램이었다. 한국은 1.8킬로그램으로 57위다. 수치만 보면 높지 않은 것 같지만, 식생활과 문화적 차이를 비교해 보면 만만치 않은 숫자다.

2020년 한국의 커피 수입량은 18만 6,428톤으로 8억 5,061만 달러한화 약 9,417억 원에 달한다. 이는 세계 6위 수준이다. 국내 커피 산업 시장은 2018년 기준 6.8조 원으로 2016년 대비 18.6퍼센트, 2017년 대비 9.4퍼센트나 증가했다. 앞으로도 커피 산업 규모는 갈수록 증가해 2023년에는 국내 커피 시장 규모가 8조 6,000억 원에 달할 것으로 전망하고 있다.

우리나라 커피의 역사는 130여 년가량이다. 1880년대 서구 열강과의 외교 관계가 수립되면서 입국하기 시작한 서양 선교사와 외교관들에 의해 커피가 유입되었을 것이다. 공식 문헌상으로는 1895년 명성황후 시해 사건으로 고종이 러시아 공사관에 피신해 있을 때, 러시아 공사가 고종에게 커피를 권해 마시게 되었다고 한다. 이 무렵 서울 중구 정동에 손탁호텔이 세워졌는데, 그곳에 커피하우스가 있었다. 이것이 우리나라 최초의 커피숍이다.

《톰 소여의 모험》을 쓴 미국 작가 마크 트웨인Mark Twain은 러일전쟁 종군기자로 대한제국을 방문한 적 있다. 커피 애호가였던 그는 손탁호텔에 머물며 손탁 여사의 커피를 맛보기도 했다고 한다. 일제강점기 때는 다방이 생겨나면서 지식인들과 예술가들의 사랑방 역할을 했다.

해방 후에는 미군이 주둔하면서 군용 식량에 포함된 인스턴트커피가 들어와 우리나라 커피 문화를 획기적으로 바꾸어 놓았다. 전후 본격적인 경제개발이 시작되면서 생활 수준이 향상됨에 따라 커피믹스가 개발되고, 자판기가 등장하는 등 커피의 대중화가 이루어졌다. 구수한 커피의 맛과 향은 예전부터 밥을 먹고 난 다음에 마시던 숭늉과 비슷해 거부감 없이 식후에 마시는 음료로 자리 잡았다.

1980년대 이후에는 원두커피 전문점이 등장했고, 1999년에는 스타벅스가 국내에 진출했다. 다양한 커피 브랜드가 개발되고 커피 전문점들이 들어서면서 대한민국은 가히 커피 공화국이라 할 만큼 폭발적인 성장세를 이어가고 있다.

카페인의 명과 암

커피 전문점에서 일반적으로 마시는 아메리카노 커피 한 잔에는 약 160~300밀리그램의 카페인이 들어 있다. 에너지 음료에는 60~200밀리그램 정도의 카페인이 함유되어 있고, 콜라에도 약 50밀리그램의 카페인이 포함돼 있다. 식품의약품안전처에서 권고하는 카페인 일일 섭취량은 성인 400밀리그램, 임신부 300밀리그램, 어린이와 청소년은 몸무게 1킬로그램당 2.5밀리그램 이하다. 따라서 커피 전문점에서 판매하는 커피 두세 잔이면 성인 하루 허용량을 훌쩍 넘는다. 개인차가 있겠으나 이 같은 허용량을 지키려고 노력하는 게 좋다.

더 큰 문제는 성장기 청소년이다. 청소년의 일일 카페인 섭취 허용량은 125밀리그램으로 규정되어 있는데, 이는 에너지 음료 한두 캔에 해당하는 양이다. 청소년들은 시험 기간이 되면 잠을 줄여가며 공부하느라 이 허용 기준을 넘겨 에너지 음료를 복용하는 게 현실이다. 각성 효과가 있어 잠들지 않고 공부를 계속할 수 있도록 도움을 주기 때문이다. 몸에 좋지 않은 걸 알지만, 코앞에 닥친 시험을 잘 치러야 하기에 에너지 음료나 커피를 마시지 않을 수 없다. 입시를 앞둔 수험생들은 하루하루가 시간과의 싸움이기에 이런 유혹을 떨치기 어렵다.

그렇지만 카페인을 과다하게 섭취하면 손이 떨리고 심장

이 빨리 뛰는 등의 심혈관계 기능에 이상이 생길 수 있다. 실제로 심장질환이 있는 청소년이 고카페인 음료를 과다 복용했다가 사망한 사례도 있다. 다량의 카페인은 칼슘의 흡수를 방해해 원활한 뼈 생성을 억제함으로써 청소년들의 성장을 저해한다. 아울러 우울증이나 불안증과 같은 다양한 정신 증상을 유발할 수 있다.

또한 카페인 중독은 다른 중독으로 이어지는 경우도 빈번하다. 카페인 중독자 가운데 니코틴 중독자가 훨씬 많다는 연구 결과도 있고, 에너지 음료에 중독된 대학생들이 마약 중독으로 이어지는 비율이 높다는 연구 결과도 있다.

학자들이 카페인의 유해성만을 주장하는 건 아니다. 카페인이 몸에 해롭다는 연구 결과와 더불어 카페인이 인체에 유익하고 이로움을 주기도 한다는 연구 결과 또한 만만치 않다. 노르웨이 공중보건연구소에 따르면, 성인 50만여 명을 대상으로 커피 마시는 방법에 따른 사망률을 약 20년 동안 추적 조사한 결과, 원두를 거름종이에 걸러 마신 사람들은 그냥 끓는 물에 간 원두를 넣어 마신 사람들보다 심혈관 질환으로 인한 사망률이 낮았다고 한다.

연구팀은 거름종이의 셀룰로스 성분이 커피 원두에 있는

기름 성분을 걸러 영향을 미친 것으로 분석했다. 연구를 진행한 다그 텔Dag Tel 교수는 말했다 "거름종이에 원두를 걸러서 마시면 심혈관 질환으로 사망할 위험이 줄어든다. 여과된 드립 커피를 하루 한 잔에서 넉 잔 정도 마시면 몸에 좋습니다." 잘 마시면 커피가 오히려 건강에 도움이 된다는 것이다.

당뇨병 예방에 도움이 된다는 연구 결과도 있다. 커피에 들어 있는 마그네슘과 클로로겐산이 체내의 포도당 축적을 막고 혈당을 조절하는 기능을 개선하는 데 도움을 준다는 것이다. 미국 존스홉킨스대학교 연구팀이 일반인 1만여 명을 대상으로 조사한 결과에 따르면, 하루에 커피를 넉 잔 이상 마시는 사람은 그보다 적게 마시거나 마시지 않는 사람보다 당뇨병에 걸릴 위험이 무려 33퍼센트 낮은 것으로 나타났다. 하지만 커피만 마셨을 때 이렇다는 이야기다. 커피에 설탕이나 크림을 넣으면 낭도가 높아져 오히려 혈당을 더 높일 수 있다.

매일 커피를 석 잔씩 꾸준히 마시면 간경화 발생 위험을 절반 이상 줄일 수 있다는 연구 결과도 나왔다. 영국 사우샘프턴대학교 케네디 박사 연구팀은 43만여 명의 사람을 대상으로 커피와 간경화의 관계를 분석한 결과, 하루에 석 잔의 커피를 마신 사람은 간경변 위험이 56퍼센트 줄어들었고, 사망 위험도 55퍼센트나 낮아졌다. 커피에 함유된 다양한 생리활성물질이 간경변을 일으키는 간의 염증이나 섬유화 과정을 억제하는 기능이 있는 것으로 분석되었다.

파킨슨병 증상을 완화하는 데도 도움이 된다고 한다. 2012년 미국 하버드대학교와 캐나다 맥길대학교 연구팀이 발표한 연구 논문을 보면, 파킨슨병 환자가 하루에 커피를 두 잔씩 계속 마셨을 때 증세가 호전되는 것으로 나타났다. 카페인이 체내에서 파킨슨병 증상을 악화시키는 물질인 '아데노신'의 작용을 막아 운동장애를 완화하는 데 도움이 된다는 것이다.

커피가 자살 충동을 줄여준다는 연구 결과도 있다. 미국 하버드대학교 보건대학원 미첼 루카스Mitchell Lucas 박사팀이 20만여 명을 대상으로 최장 20년에 걸쳐 진행된 세 건의 연구보고서를 종합 분석한 결과, 하루 커피를 두세 잔 정도 마신 사람은 전혀 마시지 않은 사람에 비해 자살을 시도할 가능성이 50퍼센트가량 낮았다. 카페인이 중추신경계를 자극할 뿐 아니라 '세로토닌'과 '도파민' 같은 뇌에서 분비되는 신경전달물질의 생산을 촉진해 가벼운 항우울제 역할을 하기 때문이다. 비관과 우울감에 빠져 자살 충동이 일었다가도 커피를 한 잔 마시면 마음이 안정되면서 흥분이 가라앉으며 자살 충동이 사그라드는 것이다.

천 번의 키스보다 달콤한 맛

커피가 인체에 미치는 영향에 대해서는 얼마든지 과학적 분석이 가능하고 앞으로도 이에 관한 연구가 꾸준히 진행될 것이다. 그러나 의학과 과학으로 측정할 수 없는 커피 고유의 기능 혹은 효능이 있다. 그것은 다분히 감성적이고 예술적인 부분에 관한 것이다. 커피 한 잔의 맛과 향, 그것이 가져다주는 정서적 위안은 수많은 예술적 성취로 드러난 바 있다. 커피 예찬론을 펴는 사람 중에는 대인관계가 활발한 정치인, 고독과 고통을 양식 삼아 창작의 세계를 펼쳐가는 문학가, 유한한 대상에서 무한한 우주를 발견하는 예술가가 많았다.

미국 건국의 아버지로 불리는 정치인 벤저민 프랭클린Benjamin Franklin은 대단한 커피 애호가였다. 45세에 펜실베이니아 주의회 의원이 된 그는 보스턴에 있는 런던 커피하우스에서 모임을 자주 가지면서 자신의 계몽사상을 설파했다. 그는 "런던 커피하우스에서 만나는 모든 정직한 영혼들을 사랑한다"라고 말했을 정도로 커피를 마시면서 만나는 사람들을 소중히 여겼다.

프랑스의 계몽사상가였던 장 자크 루소Jean Jacques Rousseau는 1789년 프랑스 시민혁명의 사상적 근간을 만들었으며, 《고백록》, 《에밀》, 《사회계약론》 등 다수의 명저를 집필했다. 커피와 일생을 함께했던 그는 죽음을 앞두고 이런 말을 남겼다고 한다. "아, 이제 더 이상 커피잔을 들 수가 없구나." 그가 얼마나 커피를 사랑하고 즐겼는지는 이 말 한마디에 오롯이 담겨 있다.

1954년 《노인과 바다》로 노벨문학상을 받은 미국 작가 어니스트 헤밍웨이Ernest Hemingway는 이 작품뿐 아니라 《무기여 잘 있거라》, 《킬리만자로의 눈》, 《누구를 위하여 종은 울리나》 등의 소설 속에서 커피를 소재로 활용했다. 《노인과 바다》에서 마놀린은 청새치와의 싸움으로 녹초가 된 산티아고를 위해 카페로 달려가 따뜻한 커피를 깡통에 담아 온다. 《누구를 위하여 종은 울리나》에서는 마리아가 조던에게 마음을 털어놓으며 "당신이 아침에 눈을 뜨면 커피를 가져다드릴게요"라고 말한다. 이 말은 커피 광고로도 오랫동안 사용되었다.

음악의 아버지로 일컬어지는 독일 작곡가 요한 제바스티안 바흐Johann Sebastian Bach는 '커피 칸타타'라는 작품을 통해 커피 애호가의 면모를 드러냈다. 이 작품은 커피를 끊으라고 강요하는 아버지와 커피를 마시지 않으면 살 수 없다고 호소하는 딸의 실랑이를 다루고 있다. "천 번의 키스보다도 달콤하고 맛 좋은 와인보다도 부드러워요. 누구든지 저를 원한다면 저에게 커피를 가져다주세요." 칸타타에 나오는 딸의 절규다. 커피를 마시게 해달라는 바흐의 호소처럼 들린다.

네덜란드가 낳은 불세출의 화가 빈센트 반 고흐Vincent van Gogh 역시 커피를 사랑한 예술가였다. 그는 커피와 관련된 그림을 많이 그렸다. 1888년에 완성한 〈밤의 카페 테라스〉가 대표적이다. 프랑스 아를의 포럼 광장에 있는 한 카페를 그린 작품이다. 그는 이곳에서 커피를 마시며 자기 삶을 생각하고 작품을 구상했을 것이다. 지금도 이곳은 많은 관광객이 찾는 명소다.

> 내게 정신을 차리게 만드는 것은 진한 커피, 아주 진한 커피다. 커피는 내게 온기를 주고, 특이한 힘과 기쁨과 쾌락이 동

반된 고통을 불러일으킨다.

프랑스의 영웅 나폴레옹이 남긴 말이다. 그의 말처럼 커피는 정신을 차리게도 하고 온기를 주기도 하며 특이한 힘과 기쁨과 쾌락을 주기도 하지만, 고통을 불러일으키기도 하는 존재다. 생의 의지를 깨워주고, 고된 피로를 잊게 해주며, 어색한 분위기를 풀어주고, 외로움과 쓸쓸함을 달래주는 데 커피만 한 게 어디 있겠는가? 확실히 커피는 삶을 활기차게 만들어주는 활력소다. 하지만 커피가 우리 삶에 행복을 줄 수 있는 것은 생활에 맛과 향을 가미하는 촉매 또는 양념으로 활용할 때까지다. 그 선을 넘는 순간 커피는 맛과 향을 잃어버릴 수도 있다.

공부는 절대로 배신하지 않으니까요

공부 중독

P 팀장은 퇴근하면 곧바로 회사 근처에 있는 학원에 가서 비즈니스 영어 수업을 듣는다. 인터넷 화상 회의를 통해 다른 사람 도움 없이 외국 거래처 직원들과 소통할 기회가 많아졌기 때문이다. 이메일이나 SNS를 이용해서 업무를 처리할 일도 잦아졌다. 능숙하게 대처하려면 영어 실력을 늘려야만 한다.

학원 수업이 끝나면 인근 식당에서 저녁을 먹고, 딸이 다니는 학원 가까이에 있는 피트니스 센터에 들러 코치의 지도를 받으며 운동한다. 운동기구 종류도 많고, 운동 방법도 워낙 복잡해 전문가의 도움이 없으면 제대로 운동하기 어렵다. 딸아이를 차에 태워 집에 도착하면 밤 10시가 다 되어 간다.

중3인 딸은 과학고 입시를 목표로 공부하는 중이다. 씻고 차를 마시며 잠깐 아내와 대화를 나눈 P 팀장은 주말에 있을 인문학 독서토론 준비를 위해 밀린 독서를 한 다음 자정 가까운 시간에 잠자리에 든다. 한 시간 남짓 책을 읽었지만, 워낙 난해하기로 유명한 책이라 저자가 무슨 말을 하는 건지 통 머릿속에 들어오지 않는다.

아침 일찍 남편 출근과 딸아이 등교를 챙긴 다음 한숨 돌린 P 팀장 아내는 잘 차려입고 집을 나선다. 손으로 하는 일에 서툰 그녀는 요리 역시 젬병이다. 딸이 좋아하는 프랑스 요리를 배우는 중이다. 초보 수준이라 언제 딸에게 근사한 프랑스 요리를 먹게 해줄지는 미지수다. 오랜만에 친구를 만나 점심을 먹은 그녀가 오후에 향하는 곳은 퀼트를 가르치는 백화점 문화센터다. 베개를 완성한 그녀는 이불에 도전하고 있다. 장을 봐서 집에 도착한 P 팀장 아내는 오전에 배운 요리를 다시 한번 실습한다.

평범한 한 가정의 일상 풍경이다. 아빠는 아빠대로, 아내는 아내대로, 딸은 딸대로 각자 열심히 살아간다. 유난스럽다고 할 수만은 없는 오늘날 우리의 자화상이다. 이 가족 구성원의 삶을 꿰뚫는 키워드를 한마디로 정의한다면 뭐라고 할 수 있을까? 아마 '공부' 아닐까?

P 팀장은 40대 초반의 나이에도 여전히 공부에 열중한다. 공부는 학교에서만 하는 게 아니었다. 사회에 나와 직장생활을 하는 데도 끝없는 공부가 필요했다. 업무를 위해, 진급을 위해, 자기 계발을 위해 공부를 게을리할 수 없다. 그에게 공부는 숙명과도 같은 것이다.

그의 아내 역시 마찬가지다. 회사에 다니지는 않지만, 아무것도 하지 않는 걸 견디지 못한다. 집에서 살림만 하고 있으니 인생을 무용하게 보내는 것 같았다. 그래서 뭐든지 한다. 남편과 딸이 없는 시간에 학원과 문화센터 등을 전전하는 건 그런 까닭이다. 인생은 곧 공부다.

P 팀장의 딸에게 공부는 자기 자신 그 자체다. 죽어라 공부해서 과학고를 가고 일류대 의대에 합격하느냐 못하느냐가 본인의 운명을 가름한다. 다행히 자신을 전폭적으로 지원해주는 부모를 만난 덕에 공부에만 매진할 수 있게 된 데 안도하고 감사한다.

경쟁사회가 만든 강박적 풍조

대한민국은 이른바 '공부 중독' 사회다. 어린아이에서 노인에 이르기까지 평생 공부에 매달려 살아간다. 엄마 뱃속에서 아이는 클래식 음악과 영어 명작 동화를 들으며 성장한다. 세상에 나와 걷고 말할 수 있게 되면 본격적인 공부가 시작된다. 유치원생이 다녀야 할 학원만도 영어 학원, 태권도 학원, 피아노 학원, 미술 학원, 웅변 학원 등 너덧 군데다. 과학이나 예술 등 특정 분야에 재능이 있거나 부모의 관심이 지대할 경우, 이에 관한 특별한 공부가 추가된다.

초등학생이 되면 자기 성적과 다른 아이 성적이 자주 비교된다. 중고등학생 때는 입시 공부에, 대학생 때는 각종 고시 공부와 취업 공부에 목숨을 건다. 요즘은 연예인을 꿈꾸는 아이들이 많아지면서 대학을 포기하고 유명 연예기획사에 발탁되기 위해 관련 아카데미에서 구슬땀을 흘리며 맹훈련하는 청소년들도 늘고 있다. 이들에게 친구는 우정을 나누는 대상이 아니라 치고 올라가야 할 경쟁 상대다. 재수를 거듭하다 보면 근 서른 살이 될 때까지 공부에 목을 매는 인생이다.

좋은 대학을 나와 원하는 직업을 얻거나 희망하던 회사에 들어갔다고 해서 끝이 아니다. 남보다 빨리 진급하고 더 많은 연봉을 받으려면 공부를 게을리할 수 없다. 외국어는 물론 코딩이나 디자인도 공부해서 자격증을 따놓는 게 유리하다. 경영대학원이나 자신의 업무 혹은 미래에 유망한 분야에 대해 배울 수 있는 특수대학원에 입학해 주경야독하는 것도 기꺼이 감수해야 한다. 혹시 모를 자신의 미래를 위해 석박사 학위를 미리 받아두는 것이 현명한 일이다. 일찍 연애를 시작해 결혼상대자가 있는 경우는 괜찮겠지만, 나이 들어 중매로 결혼상대자를 구할 때는 자격증과 학위를 많이 가진 사람이 좋은 배우자를 만날 가능성이 커진다. 이렇게 보면 인생 자체가 거대한 시험장처럼 느껴진다.

공부에 대한 중압감과 압박감 그리고, 스트레스 때문에 병원을 찾는 아이들이 많다. 부모나 어른들이 정해준 대로 성공이라는 열매를 따기 위해, 잘 먹고 잘살 수 있는 지름길을 찾기 위해, 공부의 최전선으로 내몰리다 보니 육체적, 정신적으로 감당할 수 없는 한계에 도달하게 된 아이들이다. 입맛도 없고 잠도 잘 오지 않으며 모든 일에 의욕이 생겨나질 않는다. 내가 왜 공부하는지, 무엇을 위해 사는 건지 해답을 찾을 수 없다. 성적이 조금 떨어지거나 시험을 망쳤다고 해서 비관하며 극단적 선택을 하거나 자해행위를 하는 아이들도 있다.

공부가 재미있고 신나서 하는 사람이 있을까? 시험 걱정 없이, 아무런 경쟁 없이 스스로 좋아서 하는 공부야 그럴 수도 있다지만, 시험을 치르기 위해 치열하게 경쟁하면서 하는 공부를 재미있고 신나게 하기는 어려울 것이다.

사회학자인 엄기호 씨와 정신건강의학과 의사인 하지현 씨는 우리 사회를 심각한 공부 중독 사회로 진단한다. 너도 나도 공부에 몰두하면서 인생에서 정말 중요한 관계에 대한 이해, 타인에 대한 공감, 서로를 인정하고 배려하는 태도, 사회성 등은 도외시하고 있다는 것이다.

> 나는 공부의 자식이다. 공부하는 것을 좋아했고, 공부로 지금에 이르렀고, 공부로 먹고살고 있으며, 앞으로도 공부를 계속하며 살 것 같다. 공부를 싫어하지 않는다. …… 그런데 나는 요즘 공부하는 게 재미없고 가르치는 게 고역이다. 책을 읽어도 별 감흥이 없으며 학생들에게 내가 배운 걸 이야기해 줄 때도 쾌감이 없다. 배우고 가르치는 게 기쁜 일이 아니라 억지로 하는 일이 되었다. …… 공부가 재미없어진 이

> 유가 여기에 있다. 어느 순간부터 공부가 삶의 문제를 푸는 도구가 아니라 삶을 식민화한다는 것을 깨달았다.

《공부 중독》이라는 책에서 엄기호 씨가 자기 자신을 성찰하며 고백한 말이다. 그에 따르면, 공부는 진실을 발견하고 진리를 깨달아가는 과정이며 이를 통해 삶의 문제를 푸는 즐거움의 경지다. 하지만 우리 현실 앞에 놓인 공부는 그 자체가 목적이 되어 삶의 각 단계와 요소들을 통제하고 지배하며, 우리를 옴짝달싹할 수 없게 만들어버린다. 공부라는 괴물이 인생을 좌지우지하면서 조종하는 것이다. 삶은 공부라는 절대자에 의해 식민지화된다.

> 모두가 '미쳤어', '이건 아니야'를 외치면서도 그 트랙에서 벗어나지 못하는 이유는 '아는 도둑질이 이것뿐'이라는 점도 있지만, 나만 혼자 빠져나갔다가 혼자서만 불리해질 것이라는 두려움이 강하기 때문이다. 일종의 죄수의 딜레마에 빠진 것이다.

하지현 교수의 지적이다. 이러면 안 된다는 걸 알면서도,

각자 주체적으로 개성에 맞게 사는 인생이 행복하다는 사실을 인정하면서도, 공부 중독 사회의 트랙에서 쉽게 벗어나거나 도망치지 못한다. 그랬다가는 한순간에 혼자만 낙오자나 일탈자가 되지 않을까 하는 두려움이 있기 때문이다. '죄수의 딜레마Prisoner's Dilemma'란 자신의 이익만을 고려한 선택이 결국에는 자신뿐만 아니라 상대방에게도 불리한 결과를 유발하는 상황을 가리키는 심리학 용어다. 자신만 손해 볼 수 없다는 생각에 모두가 손해 보는 상황을 자초하는 것이다.

배움이 인생의 즐거움이 되려면

아이들은 정답을 찾아 헤매고, 부모들은 너나없이 성공을 부추긴다. 다른 집 아이는 몰라도 내 자식만큼은 "공부가 가장 쉬웠어요!"라고 말해주길 기대한다. 공부에 매진하면서 치르는 시험마다 좋은 성적을 거두고, 합격 통지서를 받을 수만 있다면 다른 건 좀 부족하거나 모자라도 괜찮다. 그런 건 나중에 학원에 가거나 과외를 통해 보충하면 된다. 바로 이것이 공부 중독 사회의 편리한 사고방식이다. 공부 중독이라는 악순환에 빠진 사회는 공부라는 블랙홀이 모든 걸 빨아들인다. 개인의 사생활과 인생을 넘어 학교와 사회가 여기에 빨려 들어간다.

명문대 강의실에서는 어떤 일이 벌어질까? 수준 높은 토론과 격렬한 논쟁이 이어질까? 그렇지 않다. 학생들은 열심히 필기하고 시험 잘 봐서 높은 학점을 받는 데 치중한다. 고등학교나 다를 바 없다. 좋은 대학에 가기 위해 죽어라 공부만 하던 아이들이 모인 대학 강의실의 학생 중에는 공부 중독으로 인해 불안장애, 우울증, 분노조절장애 등을 앓고 있는 이들이 적지 않다.

공자는 《논어》 첫 장을 "학이시습지 불역열호學而時習之 不亦說乎"라는 말로 시작한다. '배우고 때때로 익히면 또한 기쁘지 아니한가?'라는 뜻이다. 여기서 '학', 즉 배움은 본받는 것이다. 먼저 깨달은 자를 본받는 게 배움이다. 시험을 치르고 자격증을 따는 것은 낮은 수준의 공부고, 삶의 원리와 보편적 진리를 깨닫는 것이 높은 수준의 공부다. 또한 '습'은 배운 데 그치지 않고 몸과 마음에 새기도록 거듭하는 것이다. 다시 생각하고 되새김질해서 마음 깊이 스며들게 하는 것이다. 살아 있는 동안 끊임없이 이 같은 공부에 치중하다 보면 큰 깨달음을 얻고, 이를 하나씩 실천에 옮기면 삶이 빛나고 기쁨을 얻기에 이른다.

공자가 자신의 어록에서 공부를 가장 먼저 언급한 것은 이것이 인생에서 더할 나위 없이 중요하기 때문이다. 따지고 보면 하루하루 사는 게 모두 공부의 연속이다. 매일 새로운 것을 보고 접하고 느끼면서 그 깨달음을 이웃과 사회를 위해 베풀 수 있다면 얼마나 좋겠는가?

삶과 공부는 분리될 수 없다. 공부를 성공과 출세, 일신의 안녕과 영화를 위해 도구화한다면, 삶과 공부는 계속 분리되고 공부에 시달리는 아이들과 어른들은 끝없이 공부 중독의 늪에 빠져 허우적거릴 수밖에 없을 것이다. 진짜 공부는 진짜 삶과 동행하는 벗과 같다.

적성이나 취향이나 능력과 무관하게 일정한 공식에 따라 정해진 인생을 살아야 한다면, 얼마나 재미없고 따분한 인생이겠는가? 남들이 다 오른쪽으로 가더라도 나는 내 판단에 따라 왼쪽으로 갈 줄 아는 주체적인 삶을 살아야 하지 않을까? 때로는 아무것도 하지 않는 자유로운 시간을 즐길 줄 알아야 한다. 요즘 유행하는 '불멍'이나 '멍 때리기'는 이런 차원에서 유효하다.

때론 멈추지 않아도 괜찮아

기부 중독

중독이라고 하면 부정적인 이미지가 떠오른다. 어떤 물질이나 대상을 지나치게 탐닉하면서 자기 자신은 물론 주변 사람들에게 해를 끼치고, 정상적인 사회생활을 할 수 없을 정도로 피폐해진 모습이 연상되는 것이다. 그러나 그렇지 않은 경우도 있다. 이른바 '좋은 중독'이다.

기부는 대표적인 좋은 중독이다. 기부Donation, 寄附란 대가를 바라지 않고 자선 또는 대의를 위해 재산 등을 내어주는 행위를 가리킨다. 가난하고 불쌍한 사람을 가엾이 여겨 자신의 것을 기꺼이 나누는 것은 오직 인간만이 할 수 있는 윤리와 도덕이다. 기독교와 불교 등 대부분의 종교에서는 기부와 봉사 같은 선행을 신자들의 덕목 혹은 의무로 강조하고 있다.

기부하면 자연스레 생각나는 인물이 있다. 마이크로소프트 창업자인 미국의 빌 게이츠Bill Gates다. 그는 아내와 함께 재단을 설립해 2019년까지 약 350억 달러한화 약 41조 7,000억 원를 기부한 것으로 알려져 있다. 그의 기부금이 사용되는 영역은 공공도서관 고속통신망 개선, 대학생 장학금, 결핵과 소아마비 퇴치, 빈곤층을 위한 모바일 금융서비스 사업, 결핵과 말라리아 백신 개발 연구, 어린이 치료약품 연구비, 빈민지역 교육환경 개선, 저소득층 장학 사업 등 전 세계 모든 분야에 걸쳐 있다. 지구촌을 강타한 코로나19 바이러스 퇴치를 위해 바이러스 검출과 치료 개선, 보호 백신 개발에 1억 달러한화 약 1,185억 원를 기부하기도 했다.

세상에서 가장 아름다운 중독

우리나라 역시 기부에 대한 인식이 개선되면서 기부 문화가 정착되고 있다. 한국인 중에 기부의 대명사로 불리는 인물이 있다. 가수 김장훈 씨다. 그는 2020년 연말에 한 텔레비전 프로그램에 출연해 기부와 관련된 생각을 밝혔다. 그는 자신이 지금까지 기부한 금액이 200억 원에 달한다고 했다.

전성기 때는 연 수입이 대략 80억 원 정도였는데, 이 중 광고 수입은 자신이 '기부 천사'로 알려지면서 올린 소득이므로 수입 전액을 기부했다고 한다. 유독 사람들에게 베푸는 걸 좋아하는 그는 명절에 매니저에게 만 원짜리를 신문지에 싸서 500만 원을 보너스로 주고, 스태프에게 차를 무려 열아홉 대나 선물하기도 했다. 심성도 곱지만, 통도 남달리 컸다.

"제가 이렇게 기부를 많이 하게 될 줄은 몰랐고, 큰 사명감도 없었습니다. 어떻게 하다 보니 그냥 하게 된 거죠. 떼돈을 벌어서 복지 사각지대 중 한 곳이라도 해결됐으면 하는 꿈이 있어요. 기부나 봉사활동은 한 번 하면 빠져나오지 못합니다. 아름다운 중독이죠."

그에 못지않게 선행하는 부부가 있다. 가수 지누션 멤버였던 션과 배우 정혜영 씨 부부다. 이들은 현재 전 세계 400명이 넘는 어린이들을 후원하고 있다. 2남 2녀를 둔 부모인 이들이 지금까지 기부한 금액만 약 55억 원에 이른다고 한다. 연예계에서 대표적인 잉꼬부부로 알려진 두 사람은 국내 최초로 루게릭 요양병원 착공을 준비 중이라고 밝혔다. 2020년 세밑에도 가난한 노인들의 겨우살이를 위해 연탄 나르는 봉사를 하고 와 SNS에 소감을 올렸다.

"125번째 션과 함께하는 대한민국 온도 1도 올리기. 날씨가 추워져 연탄이 창고에 없으면 더욱 추위를 느끼실 어르신들을 위해 한걸음에 달려왔습니다. 가장 어려울 때가 더욱 열심히 돕고 나눌 때인 것 같습니다. 오늘은 30가구에 100장씩 3,000장 지금 시작합니다."

유명인이나 사업가들만 기부하는 건 아니다. 평범한 시민, 월급쟁이, 자영업자는 물론 자신의 생계조차 빠듯한 어려운 사람들도 자신보다 더 어려운 처지에 놓인 이들을 돕는다.

서울 관악구청 앞 삼거리에서 31년째 구두를 닦고 있는 강규홍 씨는 남몰래 선행을 이어온 기부 천사다. 1990년 봄에 파산한 뒤 30대 중반에 구두닦이를 시작한 그는 지금껏 한 평 남짓한 좁은 공간에서 부인과 함께 종일 구두를 닦는다. 그러면서도 관악구 내에서 구두닦이를 하는 동료들과 함께 관악녹지회를 만들어 꾸준히 봉사활동을 하고 있다.

관악녹지회는 어려운 이웃을 돕기 위해 해마다 '사랑의 구두닦이' 행사로 마련한 수익금을 사회단체에 기부했다. 2020년 11월에도 210만 원을 소년소녀가장, 무의탁 노인 등 어려운 이웃을 위해 사용해달라며 '희망 온돌 따뜻한 겨울나기' 성금으로 기부했다. 2020년 성금은 회원들이 자발적으로 조금씩 모아 마련했다. 코로나19로 '사랑의 구두닦이' 행사를 하지 못한 탓이다. 2020년 모금액 210만 원을 합치면 지금까지 총기부금은 1억 2,770만 원에 달한다.

"예전에는 비 오는 날이면 손님이 없어 동료들끼리 술 먹고 고스톱 치면서 하루를 보냈죠. 그러다가 보람 있는 일을 해보자고 뜻을 모아 봉사활동을 시작했어요. 주위 어려운 가정에 연탄도 사서 날라주고, 전기밥솥이나 전기장판도 사줬죠. 어르신들에게 식당에서 음식도 대접해드립니다. 남을 돕고 살 수 있어 뿌듯합니다. 죽기 전까지는 봉사하며 살아야죠."

폐지를 주워 한 푼 두 푼 모든 돈을 기부한 할머니도 있다. 서울 성북구 월곡동의 좁은 골목길에 사는 장선순 씨다. 25년째 이곳에 살고 있는 그녀는 저녁 7시만 되면 폐지를 줍기 위해 동네를 돌아다닌다. 자정 무렵까지 손수레를 끌고 다니며 버는 돈은 2,000원 남짓이다. 2018년 여름 낮에 폐지를 줍다가 더위로 쓰러진 다음부터 해가 진 뒤에만 일을 나간다. 배운 것도 없고 몸도 성치 않은 할머니가 할 수 있는 일이라곤 폐지를 주워다 파는 게 전부다.

그녀는 그렇게 모은 피 같은 돈을 자신보다 더 힘든 사람들을 위해 기꺼이 내놓았다. 그동안 월곡1동 주민센터에 기부한 금액은 2015년 7만 2,970원, 2016년 10만 6,260원, 2017년 8만 2,710원, 2018년 38만 1,180원으로 총 64만 원이 넘는다. 큰돈을 버는 사업가나 유명인이 기부한 수억, 수십억 원의 거액보다 더 의미 있고 가치 있는 눈물 나는 기부가 아닐 수 없다.

"텔레비전에서 배고픔에 떠는 아이들의 모습을 보면 가슴이 미어져서 기부를 결심하게 되었어요. 배고팠던 내 어린 시절과 자식들에게 못 해준 게 떠올랐죠. 내가 능력이 없어서 고작 이것밖에 못 버는 걸 어떡해요. 그래도 입고 먹는 것 아껴 번 돈인 만큼 내 10원은 남들 10억 원만큼의 가치라고 생각해요. 나는 최소한으로 먹고 입으면 돼요."

인간을 가장 인간답게 만드는 일

'기부'라는 긍정적 의미를 가진 말에 부정적 이미지를 내포한 '중독'이라는 말을 가져다 붙이는 게 이상할 수도 있다. 하지만 좋은 말과 생각과 행동을 반복하다 보면 이게 습관이 되고, 자연스럽게 일상적인 실천으로 이어져 중독 현상과 유사한 패턴을 보이게 된다.

국내 재계 서열 2위인 SK 가문의 맏형 최신원 전 SK네트웍스 회장은 스스로 '기부 중독자'라고 말한다. 그는 매년 20억 원 이상 기부하고 있다. 그는 기부에 중독돼 매년 기부 금액이 늘어나고 있다면서 해마다 배당받은 돈을 전부 기부한다고 말했다. 어떤 기자가 그에게 기부에 중독성이 있느냐고 물었다.

"분명히 있습니다. 돈만 있으면 기부하려고 하는 게 기부 중독입니다. 나눔은 모두가 할 수 있으면서 동시에 모두를 행복하게 해주는 행위죠. 겨울철에는 동대문 쪽방촌에서 봉사활동하고 선물을 전달합니다. 제일 중요한 게 뭔지 압니까? 지난해 연탄배달 하고 나서 주민들이 상자에 먹을 것을 담아서 보내왔습니다. 정말 감동했습니다. 학생들에게 장학금을 줬더니 감사 편지를 보내왔더군요. 학생들도 어른이 되면 받은 만큼 나중에 어려운 사람을 돕겠다고 합니다. 이러니 기부하지 않을 수가 없는 거죠."

내친김에 기자가 언제까지 기부할 생각이냐고 물었다.

"언제까지 밥 먹을지 묻는 것과 같네요. 나눔은 이제 일상이고 습관이 됐습니다. 돈 버는 것도 중요하지만, 어떻게 쓰는지가 더 중요하다는 선친의 철학과 가르침을 따를 뿐입니다."

부정적 의미의 중독이 인간의 신체와 정신에 해악을 끼치는 질병이라면, 긍정적 의미의 중독은 인간의 마음과 정신에 유익을 끼치는 동시에 다른 사람들에게도 선한 영향력을 전파하는 바람직한 탐닉과 몰입이다. 조건이나 대가를 바라지 않고 조용히, 그리고 꾸준히 타인을 돕고 섬기고 봉사하며 가장 큰 기쁨과 보람을 느끼는 것은 선행을 베푼 자기 자신이다.

실제로 미국 하버드대학교와 캐나다 브리티시컬럼비아대학교의 연구원들이 2008년에 시행한 연구에 따르면, 남들에게 돈을 쓰는 것이 전반적인 행복감의 상승으로 이어지며, 자신들이 끼치는 긍정적인 영향을 인식하면 할수록 행복감을 느끼는 정도는 더 상승한다고 한다. 또한 미국과학진흥협회에서 발행하는 과학 전문 저널 〈사이언스〉에 발표된 한 연구에 의하면, 타인을 위한 행동에서 행복감을 느끼는 것은 보상처리와 관련한 뇌의 영역이 활성화되는 것과 연관되어 있다고 한다.

물론 기부에 따른 사소한 부작용도 있다. 단순한 선행 수준을 넘어 기부자의 정신적 문제로 인해 과도하게 기부함으로써 남은 가족에게 피해를 주기도 한다. 가족의 동의 없이 전 재산을 기부해버려 생계가 어려워진다면 대단히 곤란한 일이다. 때로 기부 이후 소송이 벌어지기도 하는 건 이런 이유에서다. 기부를 주관하는 기관이나 단체의 투명성과 정직성 문제도 심심찮게 도마 위에 오르곤 한다. 기부자의 의도에 맞게 기부금이 제대로 사용되었는지를 정확하게 감시하고 확인하는 일도 만만치가 않다.

그러나 이 모든 우려에도 불구하고, 기부는 점점 더 확산되고 확장되어야 하며 권장되어야 한다. 국가와 정부가 할 일이 있고, 민간이 할 일이 있다. 사람과 사람 사이에 오가는 인정과 베풂과 선행은 역사가 존속되는 한 끝없이 이어져야만 한다.

> "자신이 이 세상에 살았음으로 해서 한 생명이 더욱 편안히 숨 쉬었음을 깨닫는 것, 이것이 성공이다to know even

one life has breathed easier because you have lived. This is to have succeeded."

19세기 미국의 사상가 겸 시인인 랠프 월도 에머슨Ralph Waldo Emerson의 시 〈성공이란 무엇인가?〉의 마지막 구절이다. 1982년 미국 텍사스주 댈러스의 한 고등학교 졸업식에서 수석의 영예를 안은 여학생이 졸업 연설을 하던 중 이 시를 읊었다. 그 여학생이 바로 빌 게이츠의 전 부인인 멜린다 게이츠Melinda Gates다. 그녀는 빌 게이츠와 더불어 세계 최대의 자선단체인 '빌 앤드 멜린다 게이츠 재단'을 이끌어 왔다.

에머슨의 시처럼, 그의 시를 좌우명 삼아 타인을 위한 자선과 선행에 자신의 인생 목표를 설정한 멜린다 게이츠처럼, 인생의 성공이란 높은 자리에 오르고 많은 돈을 벌어 호의호식하며 사는 게 아니라, 나로 인해 한 사람의 생명이라도 좀 더 편안히 숨 쉬었음을 깨닫는 것이 아닐까. 그렇다면 기부 중독이란 기꺼이 빠져볼 만한 중독이 아닐까. 세상에는 크고 작은 재난과 사건 사고들이 이어지며, 여전히 어렵고 힘든 시간이 계속되겠지만, 그럼에도 불구하고 곳곳에서 자발적 기부 중독자들이 늘어난다면 세상은 그런대로 살 만한 곳이 될 것이다.

쾌락이 질병이 되는 순간

초판 1쇄 인쇄 2023년 2월 22일
초판 1쇄 발행 2023년 3월 2일

펴낸곳 Prism
발행인 서진

기획 유승준
지은이 전형진

책임편집 박은영
진행 성주영

마케팅 김정현, 이민우
영업 이동진

디자인 양은경

주소 경기도 파주시 광인사길 209, 202호
대표번호 031-927-9965
팩스 070-7589-0721
전자우편 edit@sfbooks.co.kr
출판신고 2015년 8월 7일 제406-2015-000159

ISBN 979-11-91769-30-2 (03190)
값 16,500원

- 프리즘은 스노우폭스북스의 임프린트입니다.
- 프리즘은 여러분의 소중한 원고를 언제나 성실히 검토합니다.
- 프리즘은 단 한 권의 도서까지 가장 합리적이며 저자가 신뢰할 수 있는 방식으로 인세를 정직하게 지급하고 있습니다.